Le pouvoir de la pensée

Transformez votre pensée pour transformer votre vie

LES ÉDITIONS
Quebecor
QUEBECOR MEDIA

Les bases
de la
pensée positive

Être et devenir

Depuis quelques années, on entend fréquemment parler de la pensée positive et de son impact sur la vie et le succès des gens qui la pratiquent. Cette théorie est connue sous plusieurs dénominations: pensée constructive, pouvoir du subconscient, psychologie dynamique, miracles de la pensée, visualisation créative, etc.

Ces techniques ou méthodes suscitent immanquablement la réflexion, en plus de soulever certaines questions. Qu'est-ce qui fait qu'une personne est souriante et une autre triste? Quelle est la raison pour laquelle un individu est joyeux et prospère, et un autre misérable et pauvre? Comment expliquer qu'un être soit anxieux et effrayé, alors que son voisin est sûr de lui et sans peur? Quelle est la différence entre une personne qui connaît le succès et une autre qui ne connaît que l'échec? entre un individu qui travaille dans le domaine qui lui convient et un autre qui bosse sans répit dans un travail qui ne lui apporte aucune satisfaction?

Qu'est-ce qui fait qu'une personne s'épanouit, connaît le succès et reçoit des honneurs pendant qu'à côté, un autre individu, malgré des efforts constants, ne réussit pas à accomplir quoi que ce soit de significatif et se retrouve

7

condamné à la banalité, parfois même à la médiocrité? Pourquoi y a-t-il des gens qui vivent dans des palaces et d'autres dans des masures? Comment se fait-il qu'une personne puisse guérir d'un mal soi-disant incurable, alors qu'une autre en meurt?

Toutes ces questions font partie de la vie de tous les jours, surtout lorsque nous devons nous-mêmes y faire face de façon plus aiguë. S'il est élémentaire de se questionner sur tous ces aspects de la vie, il est plus difficile d'en découvrir les réponses. Quelle est la différence entre une personne heureuse et une autre malheureuse? entre quelqu'un en excellente santé et quelqu'un de malade? Existe-t-il une différence entre une personne qui réussit et une autre qui ne connaît que l'échec? Toutes ces questions sont très importantes, car elles ne reflètent pas seulement notre réalité, elles nous y entraînent.

Bien sûr, on peut toujours avancer, en guise d'explication, l'influence du hasard, de la chance, du destin, mais reconnaissons que ces réponses ne sont pas réellement satisfaisantes, en ce sens qu'elles nous font dévier de notre ligne de questionnement pour nous suggérer de vagues prétextes à l'inaction, à la «soumission» aux aléas de la vie.

PENSER AUTREMENT

D'ailleurs, lorsqu'on s'arrête à réfléchir à cette dimension, d'autres questions fusent, plus fondamentales encore. Par exemple, comment se fait-il que bien des personnes, bonnes et dévouées, connaissent un véritable enfer sur terre, alors que d'autres, tout à fait immorales et égocentriques, connaissent succès et prospérité?

Plusieurs «guides» répondent à ces questions et promettent la réalisation de miracles en moins de deux semaines. Un grand nombre d'ouvrages s'inscrivent dans cette perspective, certes séduisante, mais peu réaliste. Peu d'entre eux réussissent d'ailleurs à remplir leurs promesses. La raison en est simple: le temps.

On peut bien *penser bonheur et richesse* pendant quelques heures ou quelques jours, si le reste de nos pensées n'est pas au diapason, rien de substantiel ne s'en dégagera, rien d'important ne se produira; toutes les questions resteront sans réponse et nulle transformation ne se concrétisera.

D'autres, au contraire, proposent de longs cheminements, qui risquent de nous décourager avant que nous puissions observer la matérialisation de nos objectifs.

Cela dit, ces techniques et ces méthodes ne sont pas fondamentalement mauvaises, mais plutôt mal conduites, mal dirigées; comprises, communiquées et vécues autrement, elles peuvent s'avérer d'une remarquable efficacité. Car la dynamique qui les conditionne relève de l'idée suivante: en changeant notre façon de penser, nous agissons sur les événements, nous transformons notre vie.

De prime abord, cela peut sembler simple, voire simpliste, tout au moins jusqu'à ce qu'on essaie de mettre cette dynamique en mouvement. À ce moment-là, inévitablement, les choses se corsent parce que notre réalité — notre quotidien — n'est pas nécessairement en accord avec nos aspirations, nos désirs ou nos rêves. Et pour cause! Il est plutôt difficile pour le commun des mortels que nous sommes d'imaginer, par exemple, que nous puissions être financièrement à l'aise alors que nous possédons tout juste assez d'argent pour faire face à nos obligations!

Mais la situation n'est pas pour autant sans issue. Il existe plusieurs façons d'apporter des changements positifs dans notre vie en nous servant de la pensée positive ainsi que du pouvoir de nos pensées; certaines de ces méthodes sont plus faciles que d'autres, mais toutes ont un point en commun: les résultats que nous obtenons sont tributaires des efforts que nous y mettons.

La première décision qu'il nous faut prendre, c'est d'accepter d'assumer la responsabilité non seulement de notre vie, mais des situations qui surviennent, des événements auxquels nous devons faire face. Nous ne pouvons être maîtres de notre destinée si nous considérons que nous en sommes victimes, si les décisions qui s'imposent sont hors de notre portée. Bref, si nous croyons que nous ne pouvons rien y changer.

La première décision à prendre: se considérer comme entièrement responsables de tout ce qui nous arrive. Pas un peu, pas seulement quand cela fait notre affaire, mais sans relâche, sans répit, quelles que soient les circonstances. Il s'agit là du tout premier pas à franchir, premier pas sans lequel le reste ne peut s'accomplir.

Voyons comment cela fonctionne.

LES RÈGLES DU JEU

J'ai intégré plusieurs disciplines et méthodes en une seule technique qui vous permettra de vraiment pratiquer la pensée positive de façon simple, tout en vous permettant de mieux vous connaître. En fait, cette méthode facilitera votre évolution.

Comme dans n'importe quelle technique, il existe des règles à suivre et ce sont ces règles — et votre adhésion à celles-ci — qui vous permettront de transformer votre vie. Il n'est pas toujours manifeste, ou aisé, de s'y astreindre. Plusieurs se découragent lorsqu'ils n'obtiennent pas les résultats escomptés au bout d'un jour ou deux. Mais la pensée positive n'est pas une pensée magique! Il n'est pas possible de transformer sa vie tout entière avec une seule pensée et après quelques secondes d'effort.

La pensée positive est un processus qui nécessite des efforts de notre part, et une bonne dose de détermination; il ne suffit pas de dire «J'aimerais avoir plus d'argent» une seule fois pour que la prospérité entre dans notre vie. Je le redis: il ne s'agit pas d'une formule magique, mais plus rigoureusement d'une façon d'optimiser notre potentiel.

Cela peut effectivement paraître simple à première vue, mais, comme vous ne tarderez pas à le constater, ce n'est pas aussi facile qu'on voudrait bien nous le faire croire, car nous sommes nous-mêmes nos pires ennemis. Pas besoin de chercher bien loin, de mettre la faute sur autrui: nos pensées sont déterminantes pour ce que nous sommes et ce que nous possédons dans notre vie. S'il existe des carences, s'il existe des manques et des problèmes — échecs, pauvreté, maladie, etc. —, nous seuls en sommes responsables.

De la même façon, nous devons accepter la responsabilité de nos succès, de notre prospérité, de notre santé. Pour cela, nous devons apprendre à transformer nos pensées pour agir dans le sens que nous souhaitons et acquérir ce que nous désirons.

Si vous êtes convaincu que vous n'êtes pas en droit de connaître le succès, de posséder la richesse, la santé ou quoi que ce soit, vous ne l'obtiendrez probablement pas. C'est d'ailleurs le premier obstacle auquel nous devons faire face puisqu'il s'agit très souvent, pour ne pas dire toujours, d'un conditionnement auquel nous avons été soumis dès notre plus jeune âge et qui nous empêche d'atteindre nos buts — nous sommes intimement convaincus que nous ne méritons pas le bonheur, le succès, la richesse ou la santé.

Pour que la pensée positive fonctionne pour vous, vous devez d'abord vous connaître — vraiment vous connaître. Alors, IL EST POSSIBLE DE TOUT TRANSFORMER.

Cela dit, en un certain sens, je dirai (au risque de choquer l'éditeur!) que ce livre ne vous assure de rien, parce que même si vous y trouverez le mode d'emploi de la transformation de votre pensée, il ne servira strictement à rien si, vous, vous ne consacrez pas le temps ni les efforts nécessaires à cette — *votre* — transformation.

À partir de maintenant, tout ne dépend donc que de vous.

Scruter ses pensées

Avant toute chose, vous devez examiner quelles sont vos pensées spontanées, c'est-à-dire celles qui vous viennent à l'esprit instinctivement, naturellement. On néglige souvent de leur porter attention; on a même plutôt tendance à les faire taire! Mais il vous faut scruter soigneusement vos pensées, car c'est de celles-ci que découlent tout un processus qui peut vous asservir à une existence qui ne vous convient plus. Il n'est pas important, tout au moins dans un premier temps, de découvrir quelles en sont les causes, ni d'où elles proviennent; ce qui est essentiel, ici, c'est de vous arrêter et de porter attention à ce flot incessant de pensées qui cavalcadent sans cesse dans votre esprit.

Il est primordial de les analyser minutieusement parce que, souvent, l'obstacle principal dans la mise en œuvre de la pensée positive provient de cette ronde de pensées. La majorité du temps, celles-ci font tellement partie de nous que nous ne leur portons plus attention; on pourrait même aller jusqu'à dire qu'elles nous sont si familières qu'elles deviennent pour ainsi dire des actes de foi.

Ainsi donc, à l'inverse de ce qu'on demande lorsque nous nous apprêtons à méditer, alors qu'il nous faut taire nos «petites voix» dans notre tête, je vous invite ici à les écouter, voire à les noter. Accordez-leur l'attention nécessaire: qu'est-ce qui vous vient à l'esprit lorsque vous vous levez le matin? Et le soir, en allant au lit? Même chose lorsque vous prenez des décisions, lorsque vous faites des projets, et ainsi de suite.

CES ÉNONCÉS QUI SONNENT FAUX

Voici une liste de rengaines qui vous sont peut-être familières; elles sont accompagnées de quelques explications quant à la façon dont elles peuvent interférer avec les principes de la pensée positive et comment elles peuvent influencer le reste de vos pensées et ce que vous vivez.

• *La vie est difficile...*

Voilà le genre de pensée qui fait justement en sorte qu'il devient difficile, voire impossible, de jouir de la vie. Il arrive un temps où vous devenez tellement convaincu que la vie est difficile que vous vous efforcez inconsciemment de prendre les chemins les plus malaisés, afin de justifier cette affirmation.

• *Passé 40 ans, la vie est finie...*

C'est une des pensées les plus limitatives qui puisse exister car, il faut l'admettre, même si vous n'avez pas encore 40 ans, vous y arriverez tôt ou tard. Ce genre de réflexion vous pousse à craindre le vieillissement, qui est pourtant le lot de tout le monde. Et plus les années passeront, moins vous serez capable d'arriver à quelque chose. Pourtant, il n'existe pas de limites, en ce qui a trait à l'âge, pour atteindre ses buts, pour concrétiser ses rêves. Il n'est jamais trop tard, car réussir n'est pas une question d'âge mais d'attitude.

• *Je suis ennuyant...*

C'est peut-être (sans doute) la raison pour laquelle vous n'avez pas de véritables amis intimes; c'est peut-être aussi la raison pour laquelle vous n'avez pas d'imagination. Qui donc pourrait bien aimer quelqu'un d'aussi ennuyant que vous? Comme vous finissez par croire que vous l'êtes, vous ne faites plus d'effort pour que les autres s'intéressent à vous. Vous cessez d'être créatif, puisque vous n'êtes pas censé avoir d'imagination!

• *La vie est une vallée de larmes...*

Avec une telle pensée, il est manifeste que vous ne pouvez aspirer au bonheur et que le plaisir est, pour vous, quelque chose de défendu. Quiconque croit en cet axiome croit que nous ne sommes sur terre que pour souffrir et pour pâtir. Comment être heureux et rendre les autres heureux si la souffrance est l'apanage de tous? Bien sûr, les épreuves et les larmes existent, mais leur propriété est de vous permettre de vous libérer des émotions, pas de vous noyer en elles.

• *Le corps est sale...*

Et, bien sûr, par conséquent, les plaisirs de la chair sont sales, dégoûtants, répugnants et vous ne pouvez ressentir de jouissance physique. L'amour entre conjoints est impossible sur le plan des relations sexuelles. Comme le corps est *inférieur*, il faut le punir et la maladie devient donc une juste rétribution. Avec une telle pensée, on peut comprendre pourquoi tellement de personnes considèrent le sida comme un châtiment. Bien entendu, on sait tous que cela est faux; pourtant, certains y croient...

15

• *Je suis sans défense devant les événements...*

Excellent prétexte pour s'écrouler, quoi qu'il arrive: vous ne pouvez vous défendre parce que vous avez décrété que vous ne possédez pas de défense. En corollaire, vous refusez toute responsabilité dans le déroulement des événements. Nous avons tous un choix à faire; si vous décidez d'être sans défense, c'est votre décision.

• *Je suis à la merci de mon passé...*

Il n'y a pas de meilleure façon de le revivre sans cesse. Rendez-vous à l'évidence: si vous êtes à la merci de votre passé, cela veut aussi dire que l'avenir n'existe pas. Pour avoir un avenir, il faut vivre dans le présent, et non constamment revivre le passé. Vous possédez un passé, tout le monde en possède un, mais il faut accepter ses erreurs et accepter, aussi, de faire un trait sur ce passé si cela est nécessaire.

• *Je suis sans défense à cause de mon enfance...*

Il s'agit de quelque chose de plus difficile à résoudre; les traumatismes vécus au cours de l'enfance peuvent effective-ment être la source de bien des maux et des souffrances, mais vous ne pouvez pas traîner ce fardeau toute votre vie. Vous devez vous résoudre à grandir, à devenir un adulte, et non pas demeurer un enfant toute votre vie. Il est vrai que, quoi qu'on en dise, les événements de notre enfance sont importants et qu'ils nous marquent, mais il ne faut pas oublier qu'une fois adultes, nous pouvons — *non! nous devons* — aller de l'avant. Ce n'est pas parce que vous avez été violenté, pour prendre cet exemple, que vous violenterez vos propres enfants. Si vous vous souvenez d'événements douloureux, vous pouvez ne pas les reproduire. Il n'en tient qu'à vous d'agir en consé-quence.

• *Je ne peux m'empêcher d'être comme ça...*

La liste peut contenir plein de qualificatifs comme... colérique, égoïste, émotif, peureux, et j'en passe. Le problème est que vous devenez tellement obnubilé par un défaut (ou simplement une caractéristique) que vous ne pouvez plus rien voir d'autre; dès lors, tout tourne autour de cette «particularité» et le reste n'existe plus. C'est très limitatif et cela manque d'imagination.

• *Les gens sont méchants avec moi, ils m'en veulent...*

N'êtes-vous pas un brin paranoïaque? Un enfant peut arriver à une telle conclusion; à l'âge adulte, cela devient une maladie. Il ne faut pas oublier que les autres sont préoccupés par leurs propres problèmes et qu'un geste impatient n'est pas toujours personnellement dirigé contre vous.

• *Je possède la vérité...*

Alors pourquoi êtes-vous si malheureux? La vérité devrait vous libérer et non vous entraver. Soyez réaliste: votre vérité n'est peut-être pas universelle et tout le monde a droit à sa propre vérité.

• *Je suis mieux (ou pire) que les autres...*

D'un côté comme de l'autre, sentiment de supériorité ou d'infériorité, vous êtes perdant. Les comparaisons ne peuvent que vous desservir, vous devez vous mesurer à ce que vous pouvez réaliser. Faire de son mieux et peut-être tenter de s'améliorer, voilà la clé du bonheur. Si vous vous servez des autres comme point de comparaison, vous vous empêchez d'être vous-même — dans le meilleur comme dans le pire. Être supérieur ou inférieur à quelqu'un d'autre n'a aucune signification réelle, puisque nous sommes tous différents les uns des autres. C'est ce qui fait notre force et notre personnalité.

• *Je suis toujours malade, je n'y peux rien, c'est dans ma nature...*

Ici, nous avons trois pensées, toutes aussi destructives les unes que les autres. Premièrement, *je suis toujours malade* invite la maladie et les maux en tout genre. *Je n'y peux rien* vous rend impuissant et, finalement, *c'est dans ma nature* implique quelque chose d'incontournable, quelque chose qui neutralise toute pensée positive, aussi bénéfique soit-elle. Si vous vous surprenez à penser comme cela, s'il vous plaît, faites attention: vous bloquez toutes les avenues de santé qui existent. Examinez soigneusement la situation et changez de rengaine le plus rapidement possible avant que cette phrase devienne votre réalité.

• *Les gens qui possèdent de l'argent ne sont pas heureux...*

Une variante du fameux dicton qui dit que l'argent ne fait pas le bonheur. Il est vrai que l'argent ne fait pas le bonheur, mais les gens qui en possèdent ne sont pas nécessairement malheureux. Cette petite phrase est pernicieuse en ce sens qu'elle vous empêche de vous enrichir; elle provient généralement de gens qui, après s'être créé leurs propres limitations, en viennent à envier ceux qui ont une certaine aisance financière. Pour ne pas souffrir de cet état de fait, ils doivent trouver quelque chose pour renverser la situation: si les gens riches ne sont pas heureux, pourquoi devrais-je être riche? Si vous entretenez une telle pensée, ne soyez pas surpris si vous éprouvez des difficultés à devenir prospère et... si vous ressentez une pointe de jalousie ou d'envie lorsque vous êtes en compagnie de quelqu'un de plus aisé que vous.

• *Je n'ai jamais assez d'argent...*

Petite phrase anodine, mais qui, répétée inlassablement, vous convaincra de sa justesse. Alors, même si vous avez suffisamment d'argent, vous estimerez — et estimerez toujours — que vous n'en avez jamais assez...

• *Je n'ai pas les moyens de faire ce que j'aime...*

Ce genre de phrase défaitiste est le plus sûr moyen de ne jamais faire ce que vous aimez. Il se peut effectivement que certains de vos buts soient hors d'atteinte pour l'instant, mais il existe certainement des choses que vous aimez et qui vous sont accessibles, qu'il vous est possible de faire. Concentrez votre attention sur celles-ci et cessez de vous créer des barrières.

• *Je n'ai pas d'imagination...*

Rien n'est plus faux, tout le monde a de l'imagination. Il se peut que vous ne vous en serviez pas de la bonne façon, comme il se peut — c'est souvent le cas — que vous ayez certains préjugés face à ce qu'est l'imagination, ou à ce qu'elle représente pour vous. Mais sachez que nous réagissons tous différemment et que chacun de nous a des talents particuliers. Vous devez tout simplement découvrir les champs dans lesquels votre esprit créatif excelle.

• *Les gens ne m'apprécient pas à ma juste valeur...*

Si c'est vraiment le cas, que faites-vous avec eux? Examinez bien votre situation car, souvent, nous traînons des phrases qui sont des répétitions de ce que nous avons entendu dans notre enfance. Une mère insatisfaite qui répète constamment qu'elle n'est pas appréciée à sa juste valeur peut vous convaincre que c'est le lot de toutes les femmes; un père qui travaille dans un environnement qu'il n'aime pas peut vous convaincre que c'est normal de ne pas être apprécié au travail. Peut-être ne faites-vous que reproduire inconsciemment ces archétypes.

• *Je ne peux jamais faire ce que je veux...*

Si vous y pensez bien, cela ressemble à ce que dirait un enfant: *Je ne peux jamais rien faire...* Il est temps de grandir et de cesser de pleurnicher comme un enfant! Ce genre de phrase et cette mentalité que vous entretenez vous empê-chent de faire ce que vous voulez, car cela vous place dans une situation où vous devez réagir... comme un enfant. Certes, il est parfois impossible de faire ce qu'on veut au moment où on le voudrait, mais de là à dire que vous ne faites jamais ce que vous voulez, il y a tout un pas à franchir. De deux choses l'une: ou vous vous mentez, ou vous vivez dans un environnement concentrationnaire! Dans un cas ou dans l'autre, il est temps de vous poser de sérieuses questions.

• *Je suis malchanceux de nature...*

Une chose est certaine, à geindre ainsi, vous n'aurez jamais Dame Fortune de votre côté! La chance va et vient, elle peut apparaître et disparaître rapidement, mais elle est pré-sente pour chacun de nous, encore faut-il la saisir quand elle passe!

• *Je suis stupide!*

La majorité des phrases de ce type proviennent de l'en-fance et elles ont en quelque sorte été apprises par cœur. À force de les entendre proférer par d'autres, en général par des membres de la famille, on finit par se les répéter inlassable-ment et... par y croire. Il est évident que, parfois, il peut arri-ver à tout le monde d'agir étourdiment, de manière irréfléchie ou irresponsable, mais avez-vous déjà remarqué que la plu-part des gens qui répètent ces phrases ne sont pas stupides? Ils attendent simplement que quelqu'un les rassure. N'at-tendez plus, vous n'êtes pas stupide et vous pouvez réaliser vos rêves.

• *Je suis toujours fatigué...*

C'est comme pour la santé: si vous êtes convaincu d'être malade, vous le deviendrez. Si vous vous répétez que vous êtes fatigué, épuisé, il est probable que vous serez fatigué... seulement à vous entendre le répéter. Allez consulter un médecin pour savoir si vous avez besoin de vitamines, faites de l'exercice, détendez-vous, prenez de l'air.

• *Je suis né avec un caractère...*

Le qualificatif qui suit habituellement peut être de n'importe quelle nature. Entre nous, ce n'est là qu'une justification, une excuse pour justifier vos écarts de conduite. Plutôt que de vous lamenter, prenez conscience de ce que vous faites, puis de ce que vous dites et agissez pour changer les choses.

REFUSER DE CROIRE

Comme je l'ai dit précédemment, il ne s'agit là que de quelques-unes des phrases que nous répétons inconsciemment; vous pouvez en rajouter bien d'autres du même genre. Rajoutez, aussi, ces proverbes restreignants qu'on ressort au moindre embêtement, au moindre empêchement. Ils sont tout ce qu'on pourrait qualifier de «conditionneurs» de notre pensée: ils la modèlent et la façonnent sans que nous en ayons vraiment conscience, et sans que nous saisissions, surtout, toute l'influence qu'ils ont sur notre quotidien.

Il s'agit donc, ici, dans ce premier temps, de prendre conscience de ces pensées négatives que vous entretenez. Sans vous fixer de limite de temps, établissez une liste de ces pensées, la plus complète possible, sans porter de jugement. Ce n'est ni bien ni mal, c'est simplement un relevé de vos pensées *ordinaires*, celles de tous les jours; celles qui font tellement partie de vous que vous en ignorez toute la portée, toute l'influence.

Une fois que cela est fait, évaluez le bien-fondé de chacune d'elles et examinez ce qu'elles vous empêchent de réaliser. Faites l'exercice sérieusement, mais ne le dramatisez pas pour autant.

Lorsque vous constatez qu'une pensée ou une croyance vous empêche d'avancer, il faut la changer et commencer, alors, à répéter quelque chose qui combatte cette attitude négative. Nous verrons d'ailleurs, un peu plus loin, comment bâtir des affirmations qui vous aideront à changer vos pensées.

Évaluer ses valeurs

Après avoir scruté vos pensées, il vous faut maintenant examiner, mais surtout évaluer, vos valeurs personnelles. Cela peut sembler sans objet, mais, comme vous pourrez le constater, il s'agit d'une étape essentielle pour découvrir votre véritable façon de penser. Si votre attitude face à l'argent est négative, il est évident qu'il vous sera difficile d'acquérir des biens parce que cela va à l'encontre de vos convictions profondes. Il en va de même en ce qui touche la santé; si vous pensez que la maladie est un châtiment divin et que vous croyiez que vous avez commis des fautes, il vous sera littéralement impossible d'être en santé.

La pensée positive n'est pas magique, mais si vous décelez les problèmes qui émanent de votre conditionnement et changez votre attitude face aux croyances et aux valeurs que vous nourrissez, il est clair que vous arriverez à obtenir ce que vous désirez. Mais l'important, c'est de savoir ce qui compte pour vous. Et, d'ailleurs, qu'est-ce qui vous importe vraiment? Le bonheur, la santé, la prospérité? Et quoi d'autre encore?

Le rôle principal de votre conscient est de préserver l'intégrité de votre subconscient afin que celui-ci ne soit pas envahi par des sentiments contradictoires, ou même ambivalents. Vous devez être intimement persuadé de ce que vous êtes et, de ce même fait, croire en toutes ces notions qui vous alimentent. Car c'est votre subconscient qui choisit la nature même des croyances qu'il juge adéquates.

Examinez donc avec diligence ce qu'elles sont et vous serez alors en mesure de neutraliser celles qui ne vous conviennent plus et d'en choisir de nouvelles qui, elles, seront en accord avec vos désirs et vos buts.

MESURER SES VALEURS

Bien sûr, il ne s'agit pas d'une échelle de mesure infiniment précise, ou même infaillible, mais elle vous permettra d'avoir une bonne idée des valeurs qui, que vous en ayez conscience ou non, modèlent votre vie. Cette fois-ci, en revanche, faites cet exercice rapidement, en cochant la réponse que vous croyez la plus exacte, sans y réfléchir. Vous n'avez pas besoin de temps de réflexion parce que, intuitivement, vous ressentez ces valeurs qui vous touchent, et avec lesquelles vous devez composer.

Lorsque l'exercice sera terminé — et je vous répète qu'il n'y a pas de bonnes ou de mauvaises réponses, ni même d'interprétation de vos réponses, vous seul en serez le juge —, il sera alors temps d'analyser si vos valeurs correspondent à quelque chose de fondamental en vous ou si, au contraire, vous ne les avez entretenues que par habitude, par conditionnement.

Ainsi, sans plus de préambule, franchissez cette nouvelle étape. Voici une liste de valeurs, de qualités; notez leur importance de 1 à 5 (1 étant le moins important et 5, le plus important).

- Une bonne éducation 1 2 3 4 5
- Les voyages 1 2 3 4 5
- La réussite dans le domaine des arts 1 2 3 4 5
- Des relations sexuelles satisfaisantes 1 2 3 4 5
- Une bonne santé 1 2 3 4 5
- Les liens familiaux 1 2 3 4 5
- La force physique 1 2 3 4 5
- Un beau corps 1 2 3 4 5
- La richesse 1 2 3 4 5
- La gloire 1 2 3 4 5
- La défense d'une cause 1 2 3 4 5
- L'amitié 1 2 3 4 5
- La spiritualité 1 2 3 4 5
- Le sens de l'humour 1 2 3 4 5
- La curiosité 1 2 3 4 5
- La sensibilité et les émotions 1 2 3 4 5
- La discipline 1 2 3 4 5
- La solitude 1 2 3 4 5
- La passion 1 2 3 4 5
- La popularité 1 2 3 4 5
- Une vie de couple 1 2 3 4 5
- La beauté physique 1 2 3 4 5
- La liberté 1 2 3 4 5
- La loyauté 1 2 3 4 5
- L'amour romantique 1 2 3 4 5
- La confiance en soi 1 2 3 4 5
- L'honnêteté 1 2 3 4 5
- Le courage 1 2 3 4 5
- Le respect des autres 1 2 3 4 5
- La compassion 1 2 3 4 5

- La facilité d'expression   1 2 3 4 5
- La gentillesse   1 2 3 4 5
- Le bonheur   1 2 3 4 5

Note: Vous pouvez aussi ajouter toutes les valeurs qui vous semblent essentielles, la liste précédente n'étant en fait qu'un exemple.

Examinez vos valeurs et placez-les en relation avec les pensées. Il vous sera facile de découvrir ce qui cloche si le besoin s'en fait sentir. Il sera aussi intéressant de voir jusqu'à quel point elles sont proches l'une de l'autre. Ne soyez pas étonné si vos valeurs et les phrases qui vous tournent dans la tête vont parfois dans des sens totalement différents. Dans certains cas, c'est la raison qui vous empêche d'obtenir ce que vous désirez.

Ne portez pas de jugement, cela serait une perte de temps et d'énergie. En faisant cet exercice rapidement, vous répondez à l'aide de votre intuition; vous n'analysez pas, vous réagissez au mot placé devant vos yeux. C'est une bonne façon de faire travailler votre subconscient et de le faire remonter à la surface afin de découvrir ce que vous croyez de façon fondamentale sans le bagage excessif des croyances familiales ou même culturelles.

Pour acquérir l'attitude juste, il faut être prêt à faire un essai, à tenter de changer ses vieilles convictions et les remplacer par d'autres phrases. Le problème majeur réside dans l'incertitude des affirmations que nous énonçons au cours de la journée. Par exemple:

- *J'aimerais bien être heureux, mais il arrive toujours quelque chose qui m'empêche de penser à moi.*

• *J'aimerais bien vivre dans l'abondance et la sécurité, mais je n'ai jamais trouvé personne qui puisse me soulager de mes peines.*

Comme vous pouvez le constater, ces affirmations sont pour le moins ambiguës, le conditionnel étant renforcé par le *mais*. C'est en quelque sorte la justification de notre malheur. Cessez de regarder la vie négativement et d'imposer des conditions à votre bonheur, à votre prospérité, à votre créativité.

Examinez quelles sont vos valeurs, qu'est-ce que vous désirez dans la vie et faites-en une liste complète. Inscrivez tout ce dont vous avez envie, tout ce que vous désirez obtenir, tout ce que vous voulez réussir. Cessez de vous censurer et ayez le courage de mettre sur papier ce que votre cœur, votre âme et votre corps désirent.

Inscrivez sur une feuille de papier tout ce que vous désirez sans ordre d'importance: les grosses réalisations, le nouvel ordinateur, un voyage, la réussite dans votre travail, un conjoint, etc. Par la suite, prenez chaque sujet et détaillez précisément votre désir, donnez-lui une forme. S'il s'agit d'une voiture, inscrivez la couleur, la marque, l'année et les caractéristiques que vous voulez. Même chose pour l'ordinateur ou les autres biens. S'il s'agit d'une maison, décrivez votre maison de rêve ou la maison que vous voulez acheter. Procédez de façon détaillée afin que votre esprit sache vraiment ce que vous voulez.

Vous pouvez aussi placer des images découpées dans des magazines ou les dessiner sur un grand carton afin d'avoir sous les yeux ce que vous désirez.

Modifier sa pensée

On ne s'en rend pas toujours compte, mais les pensées négatives sont insidieuses. Il faut souvent faire un effort conscient pour les chasser et pour ramener à la surface ces souvenirs qui nous sont chers, qui éveillent en nous des émotions agréables, qui baignent notre corps et notre esprit de plaisir. C'est d'ailleurs à l'aide de ces souvenirs que vous devez contrer la sarabande des pensées négatives, car pour chasser une émotion, rien de mieux que de la remplacer par une autre.

Les émotions viennent en vague et comme elles ne veulent pas cesser, elles fournissent les pensées qui sont les plus adéquates pour renforcer l'émotion qui a le contrôle. Le meilleur exemple est la déprime. Si vous êtes déprimé, toutes vos pensées seront noires et remplies de douleur, aussi simple que cela.

L'émotion fonctionne donc comme une roue qui tourne, et les pensées sont simplement de l'eau qui active le moulin pour la faire tourner. Si les pensées — vos pensées — changent, l'émotion qui se nourrissait des pensées précédentes disparaîtra elle aussi, tout simplement. Vous devez donc retenir que vous contrôlez vos émotions en contrôlant le flot de vos pensées. Oui, vous pouvez contrôler vos émotions ou être contrôlé par elles, c'est votre choix!

Les émotions veulent survivre, c'est d'ailleurs la raison pour laquelle, lorsque vous êtes triste par exemple, bien des événements tristes qui vous sont arrivés remontent à votre esprit; si vous n'arrêtez pas ce flot de pensées moroses, vous pouvez très facilement tomber dans la déprime la plus profonde. Mais apprendre à contrôler ses émotions ne signifie pas les supprimer. Soyons réalistes: nous sommes des êtres humains, pas des machines!

UNE PETITE MÉTHODE PRATIQUE!
Voici une méthode plaisante de contrer les pensées et les émotions négatives, et d'implanter des pensées et des émotions agréables aux niveaux de votre esprit et de votre subconscient.

Cette fois-ci, à chacun des énoncés, prenez votre temps et souvenez-vous de l'événement ainsi que des sensations agréables que vous avez ressenties à cette occasion. Allez-y doucement et prenez du plaisir à vous rappeler chaque circonstance. Laissez-vous submerger par le plaisir et les sensations positives. Revivez vos accomplissements, sans vous sentir coupable!

Passez une quinzaine de minutes par jour à pratiquer cet exercice.

Voici des exemples:

• *On vous a complimenté pour un travail bien fait...*

Revivez ce moment, les émotions qui vous ont envahi, le plaisir que vous avez ressenti. N'allez pas plus loin; concentrez-vous sur les quelques instants de profonde satisfaction que vous avez ressentie à ce moment précis.

• *Vous avez ri à en perdre haleine...*

Rappelez-vous le rire, le sentiment d'exultation.

• *Vous êtes tombé amoureux...*

Ne vous rappelez pas nécessairement toute l'histoire, seulement les sentiments heureux du début. Le premier regard, l'instant où vous avez pris conscience que vous étiez en amour et que le sentiment était réciproque. Mais prenez garde, surtout si cet amour s'est mal terminé ou si l'histoire s'est gâchée. Si vous avez des doutes, si vous croyez ne pouvoir éliminer la conclusion de cette histoire, utilisez plutôt les autres événements.

• *Quelqu'un vous a profondément touché sur le plan des sentiments...*

Quelqu'un vous a remercié, a montré de la reconnaissance pour quelque chose que vous aviez fait...

• *Un de vos rêves s'est réalisé!*

Rappelez-vous un voyage dont vous aviez rêvé, un diplôme que vous avez obtenu, la nouvelle d'un emploi. Rappelez-vous les sentiments qui vous ont habité lorsque vous avez appris cette nouvelle, lorsque vous avez obtenu votre diplôme, que vous êtes descendu de l'avion alors que vous arriviez à destination.

• *Vous avez assisté à un coucher de soleil spectaculaire...*

Quoi de plus simple et de plus beau! Il est tellement facile de se souvenir d'un beau coucher de soleil et des couleurs fantastiques!

• *Tout s'est passé merveilleusement bien pour vous...*

Au moins une fois dans votre vie, vous avez très certainement éprouvé ce sentiment de bien-être incroyable qu'on ressent lorsque tout se passe bien. Rappelez-vous ces minutes bénies de détente à la fin d'une journée bien remplie, une journée où tout s'est passé pour le mieux.

• *Vous vous êtes offert un cadeau!*

Il peut s'agir d'un gâteau ou... d'un diamant! L'objet importe peu; l'essentiel, c'est le sentiment que ce cadeau a provoqué en vous. L'excitation de vous offrir quelque chose.

• *Vous avez ressenti un soulagement...*

Il peut s'agir de quelque chose de simple, le plaisir d'enlever des chaussures trop serrées, d'avoir fini d'étudier, ou encore d'avoir vaincu la maladie.

Voici d'autres exemples pour vous donner des idées:

• *Vous avez pleinement apprécié le confort de votre lit.*

• *Vous avez fait l'école buissonnière (ou le travail buissonnier!).*

• *Vous avez fait une découverte.*

• *On vous a choisi en premier.*

• *Vous avez fait la paix avec quelqu'un.*

• *Vous avez ressenti une grande joie.*

• *Vous avez fait preuve de courage.*

• *Quelqu'un vous a réconforté.*

Vous pouvez aussi ajouter d'autres expériences plaisantes qui vous sont personnelles — encore une fois, la liste est illimitée.

Le but de cet exercice est de vous habituer à vous souvenir des bons moments plutôt que de ne penser qu'à vos malheurs et à vos déboires. Le subconscient réagit à vos pensées et si elles sont axées sur les événements heureux, celui-ci vous en fournira d'autres. Avec de la pratique, vous arriverez à penser à plus de choses gaies qu'à des choses déprimantes et tristes.

Une émotion, c'est une émotion et la joie, le rire, l'excitation, l'enthousiasme agissent autant que les larmes et les émotions négatives.

ENRACINER
de nouvelles idées

Lorsque nous pratiquons la pensée positive — cette pensée qui peut tout —, nous prenons la décision de régler nos problèmes de l'intérieur plutôt que de compter sur l'aide extérieure pour les résoudre. Cela peut paraître bizarre, voire simpliste, mais les affirmations mettent en œuvre des forces qui se trouvent à l'intérieur de nous; elles les font travailler pour nous venir en aide.

Ceux qui mettent de l'avant cette méthode gardent aussi l'esprit clair et alerte afin d'être en mesure de saisir les possibilités qui s'offrent à eux. Si vous avez les yeux pleins de larmes, vous ne verrez rien! Si vous vous vautrez dans le malheur, vous ne pourrez reconnaître une occasion d'avoir du plaisir!

Une fois que vous avez commencé à épurer votre esprit, que vous travaillez à vous débarrasser des pensées négatives, vous pourrez avoir recours aux affirmations afin de bâtir votre confiance en vous et votre estime personnelle.

Vous pourrez vous servir des affirmations à n'importe quel moment, mais pour obtenir des résultats concluants, il vaut mieux franchir les trois premières étapes ou, du moins, avoir commencé à les mettre en pratique de façon sérieuse.

Une fois que vous connaissez les pensées qui vous empêchent d'aller de l'avant et de réaliser vos rêves, vous pouvez concevoir des affirmations qui se dressent contre les pensées négatives et leur font obstacle. À la suite des exercices précédents, il vous sera facile de composer des affirmations qui neutralisent vos pensées négatives pour vous permettre d'avancer sur le chemin du bonheur, de la prospérité et de la réussite.

QUELQUES EXEMPLES

Si vos préoccupations tournent autour de la richesse, vous pouvez utiliser des affirmations comme «Chaque jour, je m'enrichis» ou encore «J'attire l'argent comme un aimant puissant». Ce n'est rien de très compliqué, vous le voyez. Gardez vos phrases courtes et simples; elles sont ainsi plus faciles à mémoriser et vous pouvez les répéter plusieurs fois par jour, particulièrement lorsque vous sentez le découragement vous envahir et les pensées noires virevolter dans votre esprit.

Si vous décidez que le succès est pour vous, vous devez utiliser des phrases comme «Avoir du succès signifie vivre une existence réussie» ou «Je partage mon succès avec les autres» ou, mieux encore, «L'idée du succès contient en elle tous les éléments de la réussite».

Si vous vous sentez nerveux face au succès, vous pouvez ajouter d'autres affirmations du genre: «Je ne peux vraiment atteindre le succès sans atteindre la sérénité.»

Lorsque l'idée de la maladie vous hante, convainquez-vous d'affirmations telles que «Tous les jours, je me sens mieux, la santé m'habite et je deviens de plus en plus résistant à la maladie».

Quelles que soient les affirmations que vous choisissiez, endormez-vous chaque soir en murmurant ces mots afin que votre subconscient les enregistre.

UNE FORCE

Il faut reconnaître que la pensée positive est une force inépuisable pour le corps tout autant que pour l'esprit. C'est en fait le support de la santé physique et mentale; c'est en quelque sorte un stimulant au niveau de tous les organes du corps et de leurs fonctions qui permet de ressentir un bien-être croissant. Ses pouvoirs sont sans limites. Mais c'est vous qui agissez.

La pensée positive, renforcée par les affirmations, vous aide à réaliser vos rêves en vous faisant percevoir des occasions que vous n'étiez pas en mesure de discerner auparavant. Ces affirmations, quelles qu'elles soient, doivent être répétées le matin au réveil et le soir au coucher; ce sont les périodes les plus propices pour reprogrammer votre esprit. C'est à ces deux moments de la journée que votre esprit est le plus réceptif aux affirmations.

Comme nous apprenons plus facilement par des exemples, voici ce qu'on pourrait présenter comme la recette de l'optimisme:

• éviter de céder à la mauvaise humeur;

• agir au lieu d'attendre;

• mettre en pratique ses rêves, même à très petite échelle;

• ne pas se mettre en colère pour des riens;

• ne pas faire tomber la responsabilité de ce qui nous arrive sur les autres, mais assumer ses responsabilités;

• éviter de se comparer constamment aux autres; travailler plutôt à améliorer ce que nous sommes.

NEUTRALISER LES PENSÉES PESSIMISTES

Face à un problème important qu'il vous faut résoudre ou même, plus simplement, face à n'importe quelle situation ou n'importe quel événement, il y a toujours deux façons de voir les choses. Le point de vue du «verre à moitié vide» ou celui du «verre à moitié plein». Chacun de nous décide quelle perception il privilégie.

Si vous voyez le verre à moitié vide, vous faites probablement partie des gens qui croient que cette tâche — neutraliser les pensées pessimistes, par exemple — n'est pas pour eux, qu'elle est trop grande ou trop petite! Aussitôt, le mécontentement s'installe et, avec lui, le stress. Bientôt, vous ne pourrez effectivement plus maîtriser la tâche. Le découragement progressera comme une traînée de poudre et vous confortera dans la conviction que vous ne pourrez réussir, que vos efforts seront vains. Vos échecs précédents vous reviendront alors à l'esprit et, naturellement, vos rêves de succès ou de réussite s'évanouiront comme neige au soleil. Le désespoir ne tardera pas à faire sa place et vous vous retrouverez paralysé, impuissant.

Vous aurez perdu. Et pourquoi donc? À cause d'une seule petite pensée négative qui s'est immiscée dans le rouage.

Heureusement, vous pouvez neutraliser cette pensée.

Devant le même problème, ou la même situation, ou le même événement, lorsque survient la première pensée négative, vous devez aussitôt lui faire obstacle par une pensée positive; par une affirmation qui aura en quelque sorte pour objectif de vous convaincre que tout ira bien et que vous serez en mesure de trouver la solution à votre problème, ou la façon de réagir à une situation ou à un événement.

À mesure que vous progresserez, le plaisir, ou plus exactement la satisfaction, s'installera car vous aurez le sentiment d'aller de l'avant, de progresser. Dès lors, votre confiance grandira et vous permettra de voir les occasions qui se présenteront — vous serez même en mesure de les provoquer.

Dans cette même perspective, vous pouvez aussi vous rappeler vos autres succès, ou d'autres problèmes que vous avez résolus. À ce stade, vous ne vous sentirez pas (ou plus) diminué, et cela, même si d'autres ont obtenu de meilleurs résultats que vous ou qu'ils se sont imposés devant vous. Vous aurez conscience d'avoir agi à la hauteur de vos moyens, et, surtout, d'avoir agi avec discernement, c'est-à-dire sans écouter les pensées négatives. Ce seul état d'esprit vous aura déjà permis de vaincre vos angoisses.

LE RÔLE DU SUBCONSCIENT

Le subconscient croit aveuglément tout ce que lui dit le conscient. Il ne décide pas par lui-même, il réagit selon ce que *vous* pensez, quelle que soit l'«orientation» de votre pensée, positive ou négative. En ce sens, les affirmations qui suivent peuvent s'avérer très importantes pour justement bien maîtriser votre subconscient. Je reviendrai sur le sujet dans la section consacrée à la visualisation créative, car le subconscient réagit fortement aux images.

Voici donc quelques idées maîtresses qui illustrent bien comment fonctionne votre subconscient.

• *Lorsque vous pensez de bonnes choses, de bonnes choses se produisent; gardez à l'esprit que le contraire est aussi vrai.*

• *Vous êtes ce que vous pensez.*

• *Votre subconscient n'argumente jamais; il accepte simplement et sans justification les axiomes de vos pensées.*

• *Vous avez le pouvoir de choisir; faites donc le bon choix!*

• *Les suggestions et les commentaires des autres n'ont aucun pouvoir sur vous, à moins que vous n'en décidiez autrement. Il s'agit d'une question de choix conscient, car ils ne peuvent communiquer avec votre subconscient.*

• *Faites attention à ce que vous dites; si vous passez votre temps à dire que vous êtes incapable, votre subconscient vous prendra littéralement au mot. Il n'a aucun sens de l'humour!*

• *Au lieu de dire «Je ne peux pas», dites plutôt «Je peux faire n'importe quoi, avec l'aide de mon subconscient».*

• *Au lieu de penser «crainte, peur et ignorance», pensez «espoir, possibilité et joie».*

• *Quelles que soient vos croyances, votre subconscient les accepte pleinement, aveuglément.*

Pour expliquer plus à fond la façon dont fonctionne le subconscient, je prendrai l'image d'une usine produisant de l'électricité. Chaque pensée représente un levier qui met en marche l'énergie correspondant à celle-ci, et cette pensée peut indifféremment construire ou annihiler cette énergie — le flot d'énergie sera d'autant plus fort si la pensée sous-jacente est répétée. C'est d'ailleurs la raison pour laquelle la répétition des affirmations est essentielle, surtout si vous désirez vous débarrasser d'affirmations négatives que vous avez entretenues depuis très longtemps. Il ne faut pas oublier que la répétition d'affirmations négatives est souvent à l'origine d'un blocage de l'énergie positive, blocage qu'il sera impossible de surmonter tant et aussi longtemps que les nouvelles pensées ne seront pas solidement implantées.

D'ailleurs, tant que ce ne sera pas le cas, tant que vous hésiterez entre les unes et les autres — ce qui se produit assez souvent, surtout au début —, il n'est pas impossible que vous sentiez votre esprit... écartelé entre le positif et le négatif, ne sachant plus très bien où aller. C'est à ce moment que vous devrez faire preuve de détermination. Au début, l'aspect négatif semblera dominer, mais son pouvoir sera rapidement érodé par les affirmations positives dès que le subconscient acceptera les nouvelles idées.

DES PENSÉES POSITIVES

Voici une série de pensées qui vous aideront à méditer sur votre vie, votre santé et votre prospérité. Vous pouvez les répéter plusieurs fois par jour lorsque vous sentez l'angoisse vous envahir. Ce sont plus que de simples affirmations; on pourrait même dire, d'une certaine façon, que ce sont des fragments de philosophie qui réapprennent à votre esprit comment penser positivement. Elles servent aussi, d'autre part, à contrôler le stress et à apaiser les inquiétudes.

Choisissez celles qui vous conviennent et vous obtiendrez de bons résultats rapidement tout en ancrant une nouvelle philosophie dans votre esprit, tant sur le plan du conscient que sur celui du subconscient.

• *La santé n'est pas que l'absence de maladie; c'est un état de vie qui reflète ma joie et ma façon de penser.*

• *Nous avons tous besoin de guérison; je dois améliorer mon corps, mon âme et mon esprit pour me rapprocher de la perfection.*

• *La santé et la maladie sont reliées, comme les variations d'une mélodie; la maladie est simplement une distorsion de cette musique.*

• *La matière ne représente qu'un moment captif dans le temps; mon esprit peut la générer facilement.*

• *Pour renouveler mon corps, mon esprit ou mon âme, je dois accepter une gamme de nouvelles perceptions qui entraîneront la découverte de nouvelles solutions.*

• *La perception constitue la première (et essentielle) étape qui me permet de transformer l'énergie cosmique en réalité.*

• *Les mauvaises habitudes ne sont que les fossés de mon esprit, des chemins désuets qui menaient jadis à la liberté, mais qui ne mènent plus nulle part maintenant.*

• *Tous, nous avons le pouvoir de créer notre réalité. Pourquoi créer des barrières qui nous entravent, alors que tout est possible?*

• *Il est malsain de confiner mon intelligence à mon seul cerveau, car celle-ci vit à l'intérieur de chacune de mes cellules.*

• *Mon esprit me donne le pouvoir de ressentir et de réagir de la façon que je le veux.*

• *Lorsque mon esprit accède à la sérénité, l'énergie contenue en moi est en mesure de faire des miracles, sans que j'aie à faire des efforts.*

• *Je ne suis pas mon corps, je ne suis pas mon esprit. Par contre, je possède un corps et un esprit.*

• *Une relation intime est bénéfique lorsqu'elle me permet d'être vraiment moi-même.*

Transformer l'inquiétude en succès

L'angoisse, l'anxiété et l'inquiétude recèlent une force incroyable! Elles peuvent nous paralyser ou nous pousser à commettre des gestes de désespoir ou de panique lorsque nous les laissons contrôler notre vie.

Pour en prendre conscience, examinez attentivement les circonstances qui vous poussent à vous inquiéter, les événements qui vous angoissent, ceux qui font naître de l'anxiété en vous. Dans le meilleur des cas, vous allez vous rendre compte que vous passez beaucoup de temps à vous en faire, tellement que vous finissez par vous inquiéter pour des riens! Mais pourquoi l'inquiétude contrôle-t-elle donc tant notre vie?

De plus, nous pouvons affirmer que l'incertitude de notre monde actuel renforce ce penchant. Tout va tellement vite dans notre vie moderne que nous ne savons plus très bien à qui et à quoi nous fier. Il suffit d'écouter les informations à la télévision pour entendre parler d'entreprises qui ferment, de milliers de travailleurs mis à pied.

Si nous ajoutons à cela la tendance courante vers le *downsizing* et le réaménagement des entreprises, les postes qui sont abolis, les tâches qu'on réassigne et tout le fatras, nous devons reconnaître que bien peu de personnes peuvent réellement se sentir en sécurité sur le plan du travail. Nous vivons à l'âge de la haute technologie et de l'automatisation à outrance; comme la machine effectue des tâches qui étaient dévolues aux êtres humains, il est compréhensible que nous soyons incertains quant à notre avenir. Et il en est ainsi dans bien d'autres domaines de notre vie.

Cette incertitude est différente de celle de nos ancêtres, qui devaient chasser et cultiver pour assurer leur survie, mais elle demeure, au même titre, un état contre lequel on ne peut rien, sinon changer d'attitude.

Cela dit, il faut reconnaître que nous ne pouvons changer la situation du monde à nous seuls. Mais est-ce que cela justifie que nous cessions de penser constamment à nos soucis, à nos inquiétudes? Oui, et la raison en est très simple: la crainte, l'anxiété, l'inquiétude attirent les choses et les événements que nous craignons. Il en va de même pour la jalousie, la colère et l'envie. Ces sentiments et ces émotions nous dérobent notre force personnelle et elles empoisonnent littéralement notre bonheur. Le résultat final: nous devenons médiocres, car nous avons peur d'aller de l'avant.

POURQUOI? COMMENT?

L'inquiétude, qui découle des circonstances difficiles environnantes, contribue à magnifier un sentiment d'incertitude en ce qui concerne l'avenir. Ce sentiment en pousse ainsi plus d'un à se laisser emporter par le courant des événements. Pour ces personnes, l'existence ne devient alors qu'un jeu de hasard, où tous les moyens sont bons pour gagner parce que, si l'on agit autrement, on risque de se retrouver dans la rue et de voir les autres passer devant.

La principale conséquence d'une telle attitude est l'égoïsme. Les proches de la personne égoïste adoptent, eux, une attitude souvent réservée, car ils sentent qu'elle n'arrêtera devant rien pour parvenir à ses fins. Cette façon de tout ramener à soi conduit inéluctablement à la solitude: personne ne veut devenir le marche-pied de quelqu'un qui non seulement envie le succès des autres, mais est prêt à tout faire pour gagner.

Pour les personnes égocentriques, qui ont tellement peur de tout perdre, l'inquiétude devient un compagnon constant — pis encore, elle devient leur seul compagnon. Bientôt, leurs soucis n'ont plus de limites: Que font les autres? Parlent-ils dans leur dos? Sont-elles sous surveillance? Qu'est-ce que demain apportera? Comment surmonter l'opposition grandissante? Que font leurs ennemis? Et ainsi de suite.

Comme vous pouvez le constater, l'inquiétude prend de plus en plus de place; et pour cause, il faut reconnaître que cette émotion doit se nourrir. De fait, chaque jour, ces individus découvrent l'existence de nouveaux éléments négatifs; ceux-ci deviennent de plus en plus importants et, ce faisant, ils justifient leur inquiétude primaire. En peu de temps, la vie de ces personnes devient un véritable enfer. Comment pourrait-il d'ailleurs en être autrement? L'inquiétude prend toute la place!

Une fois qu'elles sont prises dans cet engrenage, la faculté de juger des événements devient dénaturée, complètement faussée. Par la suite, ces personnes deviennent tout à fait incapables de maîtriser leur devenir, ce qui augmente leur insécurité, envers elles comme envers les autres.

On le voit, c'est un cercle vicieux qui se nourrit de ses propres émotions et de ses fabrications. La réalité devient un vaste complot, dans lequel elles tiennent le rôle principal —

celui de victime — et où les autres, tous les autres, sont des ennemis. Tout ne devient pas nécessairement sombre rapidement, mais l'issue est néanmoins incontournable.

UN ENGRENAGE TERRIBLE!

Un jour, on en vient à se demander comment tout cela a bien pu se produire: par une simple attitude, fausse, qu'on a adoptée, implantée en soi. Nous nous sommes laissé aller et nous avons oublié que nous étions maîtres de nos pensées, de notre devenir. Nous avons oublié que nos pensées naissent de nous, et non le contraire.

Lorsque nous adoptons une attitude négative, une attitude fausse, les éléments et les conditions de l'existence se plient tout simplement au désir invoqué. Par conséquent, toutes les énergies ambiantes travaillent de façon à influencer négativement les circonstances de la vie de ceux qui se soumettent à cet état d'être. Le problème, c'est qu'une fois l'engrenage lancé, ces émotions sont dotées d'une sorte de vie artificielle et, comme tout ce qui est vivant, elles refusent alors de s'effacer — elles occupent dès lors nos pensées, car c'est leur habitat naturel.

On peut comprendre que plus on se fait du souci, plus on trouve des motifs de s'inquiéter. Toute pensée d'inquiétude est un aimant qui attire ce que nous craignons, jusqu'à ce que cela devienne notre seule et unique réalité.

Heureusement, nous pouvons sortir de ce cercle vicieux, de cet engrenage infernal. Il suffit de prendre conscience que nous sommes nous-mêmes les chaînes qui nous entravent; que nous sommes responsables des embûches que nous devons surmonter; que nous sommes les seuls qui puissions les faire disparaître pour de bon. Comment? En reconnaissant simplement que tous ces éléments négatifs sont la suite logique de notre façon de penser et de nous comporter.

Autrement dit, en pensant positivement et correctement et en liant nos actions à nos pensées, tous ces éléments perturbateurs peuvent disparaître. Ne trouvant plus rien pour se nourrir, les inquiétudes et les tourments abandonneront la course.

Facile à dire, me direz-vous, mais c'est le premier pas à faire — et c'est aussi le pas qui compte, car tant qu'on n'a pas fait ce premier pas, rien ne peut changer. Il faut oublier les solutions *magiques* et être prêt à travailler pour obtenir ce qu'on désire.

Si vous êtes prisonnier, vous devez creuser un tunnel, limer les barreaux de la fenêtre; bref, faire *quelque chose* pour vous sortir de cette impasse. Pensez à votre libération de l'inquiétude de la même façon, car il s'agit bel et bien d'une geôle dont les inquiétudes sont les barreaux. Vous avez le choix: vous pouvez rester assis et maudire les barreaux ou vous pouvez commencer à les rendre moins solides.

Aucun effort n'est vain, car c'est un pas vers la libération.

TRANSFORMER SON INQUIÉTUDE EN SENTIMENT POSITIF

Vous avez reconnu vos inquiétudes comme étant des barrières. Vous devez maintenant faire face à votre mécontentement vis-à-vis de vos conditions de vie; vis-à-vis de vos relations, avec votre conjoint, vos amis, votre famille; vis-à-vis de ce que vous ressentez au travail, sur le plan financier et... quoi encore. Vous devez prendre conscience que cette insatisfaction est un message de votre moi supérieur qui vous signale que vous pourriez faire mieux; qui vous fait remarquer que vous vous enchaînez et vous vous tourmentez pour rien, que vous dépensez inutilement de l'énergie et que vous la gaspillez pour mieux vous empêtrer dans les problèmes.

Tout ce mécontentement que vous ressentez, toutes ces inquiétudes que vous vivez doivent vous servir à reconnaître que vous perdez votre temps. En vous concentrant sur le négatif, sur les soucis, vous vous raidissez et vous construisez des barrières encore plus grandes. D'ailleurs, non seulement avez-vous fait naître ces barrières par votre comportement, mais, maintenant, vous vous demandez comment les surmonter, ce qui donne lieu à encore plus d'inquiétude et crée des obstacles encore plus considérables.

LE PREMIER PAS

Comment désamorcer cette situation périlleuse? Eh bien, en commençant par trouver leur bon côté! Il vous faut reconnaître, par exemple, que si vous pouvez bâtir de telles barrières, de telles embûches, par la seule force de votre pensée, vous pouvez atteindre des sommets faramineux si vous pensez positivement!

Alors, vous devez faire le premier pas, car c'est ce premier pas qui compte. C'est ce qu'il faut toujours vous rappeler, quel que soit votre niveau d'inquiétude. Pourquoi? La raison en est simple. La plus grande particularité de l'anxiété, c'est de vous paralyser. Il est donc essentiel, lorsque celle-ci apparaît, de bouger physiquement — pas besoin d'aller très loin ou de faire des gestes spectaculaires. Il suffit de vous lever, de faire quelques pas, peut-être quelques mouvements d'exercice. Cela vous permettra de penser à autre chose pendant quelques instants.

Cette action peut certes vous sembler anodine, mais sachez que l'inquiétude agit aussi sur votre corps et il faut briser cette entrave qui vous immobilise. Tant que vous restez là à ne rien faire, vous ne pourrez sortir de la farandole de pensées négatives qui n'a qu'un seul but: garder à votre esprit tout ce qui pourrait aller mal dans la situation qui vous occupe. Faites donc quelques pas et dites-vous que même si vous

vous rendez malade à vous inquiéter, cela n'améliorera pas la situation. Au contraire!

Respirez profondément plusieurs fois pour débarrasser votre corps des toxines qui le tiennent sous leur joug. En respirant ainsi, vous permettez à vos poumons de s'oxygéner, ce qui contrecarre l'effet premier de l'anxiété qui est de vous oppresser. Lorsque vous vous inquiétez, votre respiration devient superficielle et vous avez l'impression que vous manquez d'air. De profondes respirations vous permettent d'envoyer de l'oxygène à votre cerveau et, automatiquement, en l'espace de quelques secondes, vous cessez de paniquer. Il vous est alors plus facile de contrôler vos réactions.

Vous contrez ainsi cette panique, suscitée par l'inquiétude et l'anxiété, qui vous fait justement cesser de réfléchir, car, à tort ou à raison, vous vous sentez en danger et vos *réponses* sont conditionnées par la peur. Une fois que vous arrivez à briser ce cercle, en respirant et en bougeant, il vous est plus facile de passer à l'étape suivante. Mais il vous faut vous rappeler que cette attitude est normale, que vous n'êtes pas plus lâche ou pire qu'un autre lorsque vous avez ce genre de réaction — il vous faut tout simplement en sortir au plus vite.

Cela dit, ce réflexe provient de notre héritage ancestral, alors qu'il fallait s'immobiliser, cesser de bouger afin d'évaluer la situation. À une époque très lointaine, c'était un réflexe qui pouvait sauver la vie. On peut d'ailleurs remarquer ce type de réflexe chez les animaux, un peu comme un chevreuil qui s'immobilise lorsque les phares d'une voiture apparaissent. Dans une nature sauvage, ce type de réaction est très bon; sur une route où passent des automobiles, où tout bouge rapidement, ce n'est plus le meilleur qui soit. Comme nous sommes des êtres humains, intelligents, nous pouvons briser ces conditionnements et ne pas tomber dans le piège de l'immobilisme.

LA DEUXIÈME ÉTAPE

L'étape suivante consiste à reconnaître que ces obstacles sont votre *création* et qu'ils ont un bon côté, celui de vous faire prendre conscience de l'étendue de votre pouvoir. Une fois cette idée acceptée, vous verrez alors les entraves s'estomper peu à peu, et là où vous ne voyiez que des problèmes, se profileront des solutions.

Il vous faut donc faire volte-face et affirmer que le succès est vôtre, et ce, sans arrière-pensée. Vous devez vous rendre compte que l'inquiétude est le symptôme flagrant d'une peur secrète qui se terre dans le tréfonds de votre subconscient, une peur qui peut prendre plusieurs formes: la peur du succès, du bonheur, de la réussite, de l'amour, de la jalousie, etc. Surtout, une peur secrète qui provient le plus souvent de notre éducation. On craint d'être heureux parce qu'on croit être indigne du bonheur; on croit qu'on ne le mérite pas.

La punition divine et la vengeance du destin sont des expressions courantes pour exprimer que nous craignons d'être heureux. C'est souvent à cause de ce conditionnement que notre comportement est inadéquat et que nos pensées se tournent automatiquement vers l'inquiétude et les soucis. Pas besoin d'être névrosé pour ressentir ce genre de mal, mais grandes sont les chances de le devenir si vous persistez dans cette forme de pensée!

Il vous faut donc démasquer cette attitude et comprendre les origines de vos peurs. Il arrive bien souvent que la compréhension du problème nous permette de transformer nos inquiétudes en un sentiment de sécurité croissant, car nous possédons, en nous, sur le plan de notre subconscient, les forces positives correspondant aux forces négatives. Ces forces positives attendent que nous les appelions pour entrer en action.

Et puis, pensez-y quelques secondes: est-il vraiment sérieux de bâtir toute une histoire — un drame — à partir d'une peccadille? C'est pourtant, souvent, ce qui se produit...

UNE QUESTION DE CHOIX

Plus grande est l'inquiétude et plus grandes seront... les forces positives à votre disposition pour les neutraliser. Tout, dans l'Univers, fonctionne de cette façon; pour chaque action, il existe une réaction; pour chaque force négative, il existe une force positive de la même magnitude. Vous devez simplement apprendre, en bout de ligne, à choisir quelles forces agiront dans votre existence.

Vous avez en vous les forces psychiques nécessaires pour vaincre les pensées négatives, pour surmonter les obstacles qui surgissent devant vous, pour éviter les pièges du désespoir. Il suffit d'accepter et de reconnaître une fois pour toutes que vous avez créé ces obstacles et que, de la même façon, vous pouvez les neutraliser. En cherchant et en trouvant les à-côtés de ces limitations, vous commencez d'ailleurs à les désamorcer, simplement du fait que vous reconnaissez qu'elles sont votre création et que vous avez le contrôle sur elles.

Le secret, c'est d'y aller progressivement, de vous faire à l'idée, petit à petit, que vous êtes «en contrôle» et que c'est vous qui êtes à l'origine de cette inquiétude. Le problème le plus évident, lorsqu'on entend des personnes raconter leurs expériences avec la pensée positive — expériences qui se sont soldées par des échecs —, c'est qu'elles espéraient obtenir des résultats immédiats, instantanés, et pas n'importe lesquels: elles voulaient qu'à la première tentative tout leur univers soit transformé. Comme cela ne se produit pas ainsi (malheureusement!), elles cédaient au doute, renonçaient à l'effort et retombaient instantanément dans leur engrenage d'inquiétudes et de tourments.

De fait — et il faut bien le garder à l'esprit —, lorsque vous commencez à pratiquer la pensée positive, les résultats ne sont pas toujours spectaculaires ni immédiats, car vos pensées négatives ne voudront pas lâcher prise aussi facilement que vous le voudrez. Ce n'est que si vous cessez de penser de cette façon que ces pensées mourront de leur belle mort, faute d'avoir été alimentées...

Il faut vous rappeler que l'inquiétude et les soucis sont les créations de votre esprit, une manifestation de vos forces psychiques; le problème avec ces forces, c'est qu'elles ne peuvent agir de façon positive de leur propre chef. Vous seul avez le pouvoir de les réaligner positivement afin qu'elles ne soient plus un poids que vous supportez, mais plutôt un outil qui vous sert. Si vous mettez les forces de votre esprit au service de votre plus grand bien, elles travailleront aussi activement que lorsqu'elles fonctionnent sur le mode négatif. Cela dit, bien évidemment, les résultats ne seront pas les mêmes.

Nous revenons ainsi à la loi de l'action et de la réaction, des causes et des effets. C'est la loi de l'Univers: tout ce qui se produit dans votre existence n'est que la concrétisation de vos pensées et de vos croyances. En changeant celles-ci, vous changez forcément le déroulement des événements et les résultats. Comme vos pensées projettent une image extérieure, si vous changez vos pensées, vous transformez nécessairement l'image projetée.

Il faut comprendre que vous témoignez constamment de vos convictions profondes, et que celles-ci se manifestent par des gestes concrets dans votre vie quotidienne. Il est impossible d'adopter de nouvelles convictions arbitrairement avec, en tête, un résultat unique qui répond à un besoin immédiat. De la même façon que vous avez édifié votre structure de pensées actuelle, vous devez procéder, jour après jour, à bâtir une autre structure de pensées qui répond mieux à vos besoins. Vous devez entretenir de nouvelles pensées et de nouveaux sentiments afin de neutraliser ceux qui les précédaient.

En d'autres termes, votre comportement mental habituel tisse la toile de votre destin. Comme vous pouvez le comprendre, c'est ce comportement quotidien qui construit votre réalité. Il faut que vous soyez à même de percevoir le côté positif en toutes choses; il vous faut tirer une leçon de vos expériences négatives afin de les neutraliser et de transformer vos inquiétudes en sécurité.

EXERCICE
Voici une bonne façon de neutraliser les actions négatives de votre pensée.

De votre expérience, tirez une circonstance douloureuse, un moment difficile. Rappelez-vous ce qui s'est passé, sans vous apitoyer sur votre sort. Rappelez-vous simplement les faits saillants.

Maintenant, posez-vous les questions suivantes:

• *Qu'est-ce qui m'a semblé le plus difficile dans cette situation?*

• *En ai-je tiré une leçon positive?*

• *Quels sont les avantages de cette situation, si minimes soient-ils?*

• *Comment cet événement pourra-t-il m'aider dans le futur?*

Si vous n'avez pas été capable de tirer une leçon positive de cet événement, lorsqu'il s'est produit, vous pouvez maintenant examiner la situation et en tirer la ou les leçons nécessaires. Vous pouvez transformer ce moment difficile en vous servant du côté positif de ce que vous avez appris, même si la leçon n'est devenue apparente que beaucoup plus tard. Et puis, cette réflexion vous permettra, à tout le moins, d'éviter la répétition d'une telle situation.

Il n'existe pas de *date limite* pour transformer votre façon de penser. Et puis, surtout, ce n'est pas l'événement qui change, mais votre attitude à percevoir ce qui s'est produit.

SUITE DE L'EXERCICE

Il s'agit maintenant de refaire l'image mentale que vous attachez à l'événement choisi précédemment, ou à tout autre événement douloureux, échec où vous avez pris conscience que vous n'étiez pas à la hauteur, etc. Cet exercice est essentiel pour refaire l'image que vous avez de vous-même. Bien sûr, il ne modifiera pas le passé, mais il vous aidera à imaginer les autres façons dont vous pourriez agir dans les mêmes circonstances.

À tête reposée, vous pouvez évaluer vos réponses, vos réactions et déceler où vous avez raté le coche.

Revivez la situation en esprit, mais changez-en le déroulement. Imaginez qu'il s'agit d'une séquence de film et que vous devez choisir les images qui se déroulent devant vos yeux. Vous êtes le héros et vous devez bien vous en sortir. Imaginez toutes les façons positives que vous pouvez réagir avec brio. Voyez-vous, ressentez-vous accomplir tous les gestes pour réussir cette tâche. Ce faisant, dans votre esprit, vous vous améliorez constamment et c'est l'image qui s'implantera dans votre subconscient.

EN NOUS

Il faut reconnaître que l'inquiétude nous est étrangère, qu'elle est en quelque sorte *extérieure* à nous, c'est-à-dire qu'elle ne fait pas partie intrinsèque de notre nature. C'est une création de notre esprit qui ne sert qu'à dresser des barrières et des obstacles pour nous empêcher d'être heureux. En conséquence, il nous faut réapprendre à diriger nos pensées loin de ces pièges qui nous enlisent dans une réalité sans lendemain et reprendre les guides de notre vie.

Il est cependant possible que certaines situations nous apparaissent sans issue, ou qu'il nous semble impossible d'adopter une attitude positive lorsque nous sommes face à une difficile nécessité. Dans ces moments, il faut toujours nous rappeler que la sécurité réside *en nous* et non pas à l'extérieur de nous.

C'est effectivement en nous que réside le pouvoir de surmonter toutes les épreuves et c'est aussi là que nous pouvons puiser la force contraire aux forces négatives qui semblent nous harceler. Dans de telles situations, il faut avoir confiance en nous-mêmes et garder exclusivement les yeux fixés sur notre but.

Il ne faut jamais fixer notre attention sur les choses dont nous voulons nous débarrasser, car cela nous entraînerait une fois de plus sur le chemin de l'abattement et de la pensée négative. On ne peut régler un problème en se concentrant sur celui-ci, on ne peut que l'aggraver en y pensant constamment.

Au même titre, nous ne pouvons nous débarrasser du mal et de la nécessité en nous tracassant à ces sujets car, alors, ce sont les soucis qui prennent toute la place dans nos pensées, et notre esprit se concentre sur l'inquiétude au lieu de chercher une solution. Il faut avant tout apprendre à diriger convenablement nos pensées afin de trouver une ou des solutions. Tant et aussi longtemps que nous perdons notre temps à nous inquiéter, nous ne faisons rien de bon.

Par exemple, il est inutile de se répéter sans cesse: «Je ne me fais pas de soucis. Je me libère de tout obstacle, je me suis libéré de l'anxiété.» Il faut plutôt dire: «Je suis sûr de ma force, de ma supériorité et de mon avenir. Jour après jour, je deviens plus fort, je me sens de plus en plus en sécurité. Je parviens à réussir parce que je suis destiné à m'élever au-dessus de ma condition actuelle et à remporter la victoire.»

En affirmant votre confiance en vos propres pouvoirs, vous ouvrez la porte à la transformation.

Attirer la prospérité

Que voilà un sujet de préoccupation pour la plupart d'entre nous! Mais, comme pour tout, il s'agit d'une question de décision et de perspective. Vous devez croire en vous et en la possibilité d'obtenir ce que vous désirez.

RIEN POUR RIEN

Si vous espérez tout recevoir sans rien donner en échange, vous vous trompez lourdement, car pour acquérir ce que vous désirez, vous devez faire les efforts nécessaires. Il faut d'abord comprendre qu'il n'est pas mauvais d'être prospère; la prospérité implique l'abondance, le bonheur, la santé et tout ce qui est bon, bénéfique. Confiner la prospérité au seul plan matériel, c'est se limiter, et cela, sans raison.

Le vieux dicton qui veut qu'on récolte ce qu'on sème est particulièrement de circonstance sur le plan de la prospérité. Si nous pouvons nous rendre malheureux, infortunés, voire démunis par nos pensées négatives, c'est que nous pouvons, en revanche, nous rendre heureux, fortunés et prospères par nos pensées positives. Si nous accordons le pouvoir aux pensées négatives — et nous savons tous comment elles fonctionnent, nous en percevons les effets quotidiennement —, force nous est d'octroyer autant de puissance aux pensées positives.

Voici une liste d'énoncés qui peuvent s'avérer utiles.

• *Prenez la décision de devenir riche facilement.*

Pourquoi pas? Tout le monde sait qu'il est facile de s'appauvrir. Par conséquent, nos pensées peuvent nous aider à faire le contraire en nous plaçant devant des occasions sans pareilles et en provoquant des situations qui peuvent nous conduire vers notre but. Il n'y a rien de mal à s'enrichir; après tout, qu'y a-t-il de particulièrement bon dans le fait d'être pauvre et de ne pouvoir subvenir à ses besoins? Ce qui compte, essentiellement, c'est la façon d'utiliser les ressources qui sont mises à notre disposition.

La «loi de l'attraction» et du rayonnement fonctionne de façon positive tout autant que négative; autrement dit, c'est notre décision de penser positivement et de neutraliser l'effet négatif qui nous maintient dans le dénuement. Par contre, il faut comprendre qu'il faut semer afin de pouvoir obtenir une récolte. Si vos pensées sont axées sur la pauvreté et le manque, c'est ce que vous obtiendrez en bout de ligne, puisque c'est ce à quoi vous consacrerez vos pensées; en revanche, si vous faites l'effort de penser positivement, vous finirez par récolter les fruits de ces pensées.

• *La prospérité est une conviction inconsciente; il faut que vous la semiez dans votre subconscient afin qu'elle y croisse.*

Vous ne pouvez espérer devenir prospère si vous entretenez la conviction que vous êtes «né pour un petit pain». Vous auriez beau répéter à tout venant que vous êtes riche, si, dans votre inconscient, vous êtes persuadé d'être pauvre, c'est ce que vous obtiendrez. Il existe plusieurs façons de changer cette situation.

Voici une façon simple de le faire.

Exercice: Répétez doucement et lentement le mot «richesse» le soir avant de vous endormir, faites-le pendant environ cinq minutes. Votre subconscient s'occupera du reste. Petit à petit, votre inconscient absorbera ce message et vos convictions profondes se transformeront. Il faut que votre conscient et votre subconscient soient en accord l'un avec l'autre, car votre subconscient ne peut produire de la richesse lorsque votre esprit conscient est convaincu qu'être riche est *mauvais*.

De la même façon, si votre conscient est dominé par un sentiment de pauvreté, votre subconscient produira cette pauvreté. Vous devez maintenir des pensées positives face à la richesse afin d'attirer celle-ci.

Pour réduire le conflit et croire ce que vous affirmez, utilisez la phrase suivante: «Jour après jour, ma prospérité croît de plus en plus.» Il vous faut aussi éviter de saper vos affirmations positives avec des pensées négatives. Ces pensées bloquent la matérialisation de vos désirs et de vos objectifs en donnant des directives conflictuelles à votre esprit.

N'ayez pas peur d'affirmer que vous avez le droit d'être riche. Évitez les remarques du genre: «Quand on est né pour un petit pain...»; ce type d'affirmation vous garantit la pauvreté, car c'est l'image que vous projetez dans votre cerveau aux niveaux conscient et inconscient. Vous limitez vos possibilités en affirmant que c'est votre nature d'être pauvre. Dès lors, cette affirmation devient en quelque sorte une loi de votre esprit qui vous empêche de réaliser quoi que ce soit, parce que vous n'êtes pas né pour recevoir *un gros pain*. Vous avez décrété que le petit pain est assez bon pour vous et que, par conséquent, il serait malvenu que vous en receviez plus. Pourtant, lorsqu'on s'arrête à réfléchir à ce genre d'énoncés négatifs, on en perçoit aisément le ridicule.

Vous devez aussi considérer l'argent comme une vague qui revient constamment vers vous. C'est une force inéluctable, comme la marée. Il ne faut pas s'accrocher à la prospérité, mais laisser aller la vague, elle reviendra vers vous. Inéluctablement. Il est inutile de tenter de se l'approprier ou de la garder en otage — l'avarice ne sert à rien, sinon à perdre ce que vous avez déjà.

Il est aussi important de ne pas «condamner» l'argent; ce serait la façon la plus sûre d'en manquer. Si l'argent est une chose *mauvaise*, votre subconscient fera tout en son pouvoir pour que vous ne soyez pas souillé par sa présence. Ne l'oubliez pas: votre inconscient veut votre bonheur; si vous êtes persuadé — s'il est persuadé — que l'argent est l'instrument du diable, vous ne pourrez pas en acquérir et, même si vous y parvenez, vous ne pourrez en jouir librement car vos convictions profondes iront à l'encontre de ce plaisir.

D'un autre côté, vous ne devez pas, non plus, faire de l'argent un dieu. Ce n'est qu'un symbole, un moyen pour vous permettre d'avoir ce que vous désirez. Comme il est si bien dit depuis le Moyen Âge, «l'argent est un bon serviteur, mais un mauvais maître». Vous devez vous servir de l'argent et ne pas en faire une obsession car, à ce moment-là, vous en deviendriez l'esclave.

Si vous devenez l'esclave d'un bien, jamais vous n'aurez de satisfaction de ce bien. Il vous sera toujours impossible d'en obtenir assez et vous serez aussi malheureux que si vous étiez démuni. En fait, cela devient pire, car votre plus grande tâche sera de vous inquiéter de perdre ce que vous avez amassé.

- *Il n'y a pas vraiment de vertu à être pauvre.*

Non, il n'y a aucune vertu à être pauvre. Croire le contraire est en quelque sorte une maladie de l'esprit, caractérisée par une mauvaise communication entre votre conscient et votre inconscient. C'est un mal qui provient d'une ligne de pensée confuse.

Dans la même perspective, il est aussi inutile de critiquer l'argent, car l'argent, en lui-même, n'est ni bon ni mauvais. C'est l'utilisation que vous en faites qui lui donne sa couleur — certains diront son odeur. Si vous agissez pour le plus grand bien de tous, l'argent sera béni; si, au contraire, vous l'amassez de façon avaricieuse, il prendra une forme moins bénéfique. Retenez bien que l'argent (comme la richesse) n'est pas mauvais; ce qui est mauvais, c'est l'ignorance et une mauvaise utilisation des avantages qu'il procure.

• *L'envie et la jalousie bloquent le flot d'énergie créatrice.*

Plutôt que d'envier les autres, réjouissez-vous de leur prospérité, elle ne vous enlève rien. Au même titre que les pensées négatives vous empêchent d'atteindre ce que vous désirez et vous placent dans un engrenage, l'envie et la jalousie vous empêchent de vous concentrer sur ce que vous pourriez réaliser. De plus, vous propagez ces sentiments, vous attirant du même coup du négatif dans votre vie.

L'envie et la jalousie sont non seulement l'expression, la manifestation d'un manque dans votre existence, mais elles perpétuent ce manque en vous faisant remarquer ce que les autres ont et que vous ne possédez pas. Au lieu d'être «en contrôle», d'être responsable de ce que vous désirez, vous perdez votre temps à voir ce que les autres possèdent et à vous plaindre de ne pas l'avoir. C'est un autre cercle vicieux, un autre engrenage sournois duquel il vous sera de plus en plus difficile de vous extirper si vous continuez dans cette voie.

Il est important que vous compreniez que les biens des autres leur appartiennent de plein droit et que vous devez vous faire une raison à ce propos. Si vous perdez votre temps à éprouver du ressentiment envers ceux qui possèdent ce qui vous manque, ce que vous désirez, vous n'attirerez pas ce que vous désirez et ne l'obtiendrez jamais. Tout ce que vous allez attirer, c'est le manque.

LE CHANGEMENT NÉCESSAIRE

Vous devez changer votre esprit pour changer votre situation présente.

C'est la loi fondamentale de la prospérité: votre pensée est la force derrière votre existence. En d'autres mots, vous ne pouvez transformer votre vie en gardant la même attitude, la même façon de penser. Si vous changez votre façon de penser, les conditions de votre existence se transformeront d'elles-mêmes. Votre corps, votre travail, vos préoccupations, votre situation financière, tous ces éléments se transformeront afin de reproduire votre nouvelle façon de penser. En renouvelant votre esprit, vous serez transformé. Est-ce facile? Pas vraiment, mais les résultats en valent le prix!

Comme je l'ai mentionné précédemment, nous n'avons rien pour rien. Appliquer cette loi du *renouvellement* de l'esprit est difficile pour la simple raison que nos pensées sont si proches de nous qu'elles émergent pour ainsi dire automatiquement. Rappelez-vous de l'exercice de la page 21. Vous avez noté les pensées qui vous trottent dans la tête, mais les avez-vous changées? C'est pourtant ce qu'il faut faire, ce qu'il faut apprendre.

Vous devez choisir le sujet de vos pensées à tous les moments, ainsi que l'émotion sous-jacente et l'humeur qui les accompagnent. Cela peut vous surprendre, mais il est pourtant vrai que vous pouvez choisir vos états d'âme. Vous possédez des émotions, ce ne sont pas les émotions qui vous possèdent. Pour maîtriser votre vie, vous devez maîtriser non seulement vos pensées, mais aussi les dispositions d'esprit qui les accompagnent.

Par exemple, si vous croyez qu'il est dans votre nature d'être déprimé, vous passerez probablement effectivement votre vie d'une dépression à une autre. Vous trouverez même une série de bonnes raisons pour être déprimé, pour entretenir cet état d'être, cet état d'âme.

Soyons réalistes. Il est impossible d'être en bonne santé si vous entretenez la croyance que celle-ci est fragile; pas plus que vous ne pouvez connaître le bonheur si vous croyez que vous êtes de nature mélancolique. Il en va de même si vous avez tendance à être boudeur, morose, déprimé, craintif, et ainsi de suite. Vous devez cultiver les bonnes dispositions et concentrer votre attention sur vos qualités, au lieu de vous sentir le jouet de vos défauts.

En d'autres mots, vous devez prendre la décision de choisir le genre de pensées qui vous convient. C'est d'ailleurs là une étape significative du renouvellement de votre esprit. Vous devez l'éduquer, votre esprit, et sélectionner soigneusement vos pensées. Ce n'est pas nécessairement facile, surtout les premiers jours, mais, au fur et à mesure que vous progresserez, ce processus deviendra plus aisé. Vous découvrirez également des choses étonnantes sur vous-même — sans parler des résultats appréciables que vous obtiendrez assez rapidement.

Il est bien entendu que nous connaissons tous cette vérité, mais combien d'entre nous la pratiquons? D'accord, parfois sporadiquement, nous essayons d'effectuer quelques tentatives (timides) pour changer notre façon de penser, mais le courant de notre esprit est rapide. L'entrechat de nos pensées s'effectue à la vitesse de l'éclair et il arrive très rarement que nous l'interrompions; en fait, il est à peu près impossible de l'arrêter. La solution doit alors se trouver ailleurs; il faut adopter une nouvelle habitude de penser. Il faut implanter cette nouvelle méthode et ses principes fondamentaux afin de réussir à changer avec succès notre façon traditionnelle de penser.

Protéger sa santé

Au même titre que les autres aspects de votre vie, votre santé peut grandement bénéficier d'une façon de penser positive. Une bonne santé est essentielle pour profiter de la vie, nous le savons tous. Malheureusement, nous oublions, volontairement ou non, que c'est également une partie intégrante de la prospérité.

Pensez-y. Si vous êtes constamment malade, abattu ou même simplement indisposé, vous ne pouvez jouir pleinement de la vie, et tous les biens que vous accumulerez ne serviront à rien car vous ne pourrez en profiter. De la même façon, il est très intéressant de noter que, souvent, la santé s'améliore de façon significative une fois que les soucis financiers sont disparus.

En pensant positivement, en changeant votre conception des choses, vous serez à même d'améliorer votre état de santé. Vous devez examiner soigneusement ce qui se passe dans votre vie, comment les difficultés quotidiennes vous affectent et se répercutent sur votre santé. Par exemple, certaines personnes ont tendance à avoir des brûlures d'estomac, voire des ulcères lorsque leur situation financière les inquiète. La discorde, les querelles et la confusion ont également une incidence directe sur la santé.

Nous le sentons plus souvent que nous le savons: notre corps est directement influencé par nos pensées et ce qui se passe autour de nous. Le manque d'harmonie peut causer des problèmes de santé, car il affaiblit tout notre système.

Nous sommes un tout: notre corps, notre esprit et notre âme cohabitent dans la même enveloppe charnelle; ce qui se passe au niveau d'une de ses parties a des répercussions sur tout le reste. On peut croire que la santé est indépendante de la prospérité, mais c'est tout à fait faux. En fait, la santé fait partie du bonheur au même titre que la prospérité, un travail intéressant, une belle maison. C'est notre bien le plus précieux, mais souvent celui auquel nous portons le moins d'attention.

Nous avons l'impression que les maladies sont indépendantes de nous, que nous ne pouvons rien faire pour les éviter. Notre société est tellement convaincue de cela que nous laissons notre santé dans les mains des autres, qu'il s'agisse de médecins, d'infirmières, de travailleurs de la santé ou d'autres thérapeutes.

Attention! je ne cherche pas ici à minimiser le travail de ces personnes (plus souvent qu'autrement extraordinaire), mais il faut se rendre à l'évidence: notre santé est d'abord de notre responsabilité et non de celle des professionnels, si compétents soient-ils.

Avec l'avènement de drogues miracles, nous nous sommes peu à peu convaincus qu'il suffisait d'une pilule pour que la santé nous revienne. Encore une fois, je ne nie pas non plus que les médicaments soient utiles. Qu'on pense seulement aux antibiotiques qui sauvent nombre de vies tous les jours. Oui, la science fait des «miracles», mais elle ne peut les faire sans notre — votre — participation.

Or, voilà, nous en sommes venus à considérer notre santé, notre corps, comme étant la responsabilité des autres. Qu'une pilule ou une injection... La nature est pourtant en train de nous prouver qu'il n'en est rien. Pensez quelques instants à toutes ces maladies comme le sida, les hépatites, et même la tuberculose qui connaît une recrudescence inquiétante. Certaines de ces maladies ne répondent plus aux traitements qui, jusqu'alors, avaient eu un certain effet — malgré toutes les promesses qu'on nous a faites et tous les espoirs que nous entretenons.

De plus en plus, d'ailleurs, les médecins demandent une participation *active* de leurs patients dans le traitement. Certains recommandent la méditation ou la visualisation créative. De plus en plus, les techniques provenant des civilisations anciennes sont documentées et l'on se tourne vers elles. La prière est revenue à la mode après avoir connu un déclin pendant l'ère moderne. L'homme redevient conscient qu'il forme un tout avec ses émotions et sa spiritualité.

Nous croyons effectivement que cela a une réelle importance (et une influence) sur ce que nous sommes et devenons, et c'est la raison pour laquelle nous examinerons ensemble les façons qui peuvent nous aider à rester en bonne santé. Bien entendu, ce sont des conseils d'ordre général qui pourront parfois paraître simplistes à première vue. Mais si vous les analysez quelque peu, vous arriverez à comprendre rapidement que tous ces conseils s'inscrivent dans la perspective de la pensée positive et nous aident à transformer l'attitude que nous entretenons vis-à-vis de nous-même.

Comme je l'ai dit déjà à quelques reprises, pour transformer votre vie, vous devez faire l'effort de changer votre attitude. Votre santé peut être influencée par des pensées négatives et des émotions non contrôlées; aussi convient-il de procéder à certains changements structurels de votre attitude, de votre façon de penser. En le faisant, vous invitez les autres à changer la leur.

C'est aussi simple que cela.

COMMENT «AIDER» SA SANTÉ

La première règle à suivre est de prendre soin de vous au même titre que vous prenez soin des membres de votre famille, de vos amis, et même de votre chien ou de votre chat. Vous devez vous accorder du temps, tous les jours — ne serait-ce qu'une ou deux périodes de 30 minutes. Vous devez prendre conscience que vous valez la peine de vous accorder ce temps au même titre que vous en consacrez aux autres. Il ne faut pas confondre cette période de repos avec votre période de sommeil; ce doit être autre chose. Autrement dit, vous devez profiter de cette période pour accomplir quelque chose pour votre seul plaisir: aller chez le coiffeur par exemple, prendre un long bain, vous faire masser. Vous pouvez aussi aller au cinéma, assister à un spectacle. L'important, c'est de vous accorder du temps pour des activités qui vous détendent et vous apportent du plaisir.

Pourquoi placer ce genre de considération avant toutes les autres? C'est très simple, si vous ne faites jamais rien pour vous-même, votre corps trouvera le moyen d'attirer votre attention, et le plus souvent en contractant un malaise ou un virus quelconque. Il vous obligera à prendre conscience qu'il existe et... que vous avez des besoins personnels.

Prendre soin des autres, c'est très bien, mais en dorlotant constamment ceux qui vous entourent, vous pouvez avoir tendance à vous oublier et à négliger vos propres besoins. Or, nous avons tous besoin d'être dorlotés de temps à autre et si nous l'oublions, le rappel à l'ordre peut être plutôt désagréable.

En revanche, si vous prenez l'habitude de faire attention à votre corps et à votre esprit, votre organisme sera en mesure de mieux fonctionner. Cela ne veut pas dire que vous serez invincible, que vous ne serez jamais malade, mais vous pourrez plus facilement récupérer si vous êtes victime d'une «faiblesse» quelconque.

D'autre part, il vous faut également vous demander pourquoi vous portez tant d'attention aux autres et si peu à vous-même. Certains spécialistes de la question soulignent qu'il arrive souvent que les soins et l'attention que nous prodiguons aux autres masquent notre détresse personnelle — nous aimerions que ceux-ci prennent soin de nous, mais nous n'osons pas le demander. Nous nous sentons alors au service de ceux qui nous entourent et nous espérons qu'ils nous retourneront l'ascenseur. Malheureusement, plus souvent qu'autrement, il n'en est rien et nous finissons par sentir du ressentiment à leur égard parce que toute cette attention ne semble jamais réciproque.

Le nœud de tout cela réside dans le fait que nous sommes tous humains et que nous espérons tous obtenir l'approbation et l'amour de ceux qui nous entourent. Une attention qui doit se traduire par des marques tangibles — et dans laquelle il doit y avoir réciprocité. Certaines personnes dévouent leur vie au service des autres sans rien attendre en retour; ce sont des êtres exceptionnels qui méritent notre respect, mais il faut aussi garder à l'esprit que c'est leur choix de vie, et que nous ne sommes pas obligés d'agir de la même façon.

La majorité d'entre nous avons besoin de recevoir des autres autant que nous donnons. Agir autrement, c'est se refuser à accepter la vérité telle qu'elle est. Par contre, si vous ne vous accordez jamais de temps pour vous, les autres tiendront pour acquis que vous n'en avez pas besoin. C'est également dans la nature humaine d'essayer d'obtenir quelque chose pour rien. Vous devez donc avoir le courage de demander ce dont vous avez besoin et vous attendre à ce que les autres y répondent dans la même mesure que vous le faites à leur égard. D'ailleurs, sans échange, sans réciprocité, il ne peut exister de véritable amitié.

Si vous êtes la seule personne à prodiguer de l'amour, des marques d'affection, à accorder l'attention nécessaire aux autres, sans jamais recevoir quoi que ce soit en retour, vous finirez par nourrir une certaine aigreur à leur égard. Vous vous sentirez coupable d'éprouver de tels sentiments et, finalement, votre santé écopera. C'est un cercle vicieux qu'il faut éviter à tout prix.

Accordez-vous donc le temps qu'il vous faut et vous vous rendrez rapidement compte que les autres feront plus attention à vos besoins. Comment voulez-vous demander quelque chose à quelqu'un si vous n'êtes pas à l'écoute de vos propres besoins, de vos propres désirs? Soyez franc avec vous-même, mais aussi avec les autres et cela vous permettra d'établir des rapports plus harmonieux et combien plus satisfaisants. Vous serez aussi à même d'évaluer ce que vous faites pour les autres et de choisir vos relations.

ÊTRE SEREIN ET PRUDENT

Il faut également que vous appreniez à cesser de vous tracasser constamment au sujet de votre santé. Rappelez-vous que se faire de la bile à ce sujet invite les maux et les problèmes. Cela ne veut pas dire de ne prendre aucune précaution; lorsqu'il fait froid, vous devez vous vêtir; lorsque vous êtes entouré de gens qui ont le rhume, vous devez faire attention de ne pas l'attraper.

Par contre, si vous craignez constamment d'être malade et même que vous imaginiez que vous l'êtes, vous le deviendrez inévitablement. À force de penser et d'*inviter* la maladie, vous deviendrez malade; à force de réprimer vos émotions, vous empoisonnerez votre système et vous développerez des malaises qui pourront s'avérer nuisibles.

Non seulement les maux d'origine psychosomatique sont-ils aussi vrais que les autres, mais ils ont de plus tendance à résister au traitement parce qu'ils proviennent de l'esprit. À court terme, un traitement peut s'avérer efficace, mais tant que vous ne réglerez pas la situation qui est responsable du problème, celui-ci reviendra encore et encore. Prenez des précautions pour éviter la maladie, cela va de soi, mais, de grâce, ne vous tourmentez pas constamment au sujet de votre santé!

Dans le même esprit, il est important de manger et de boire avec discernement. Les excès, tant de nourriture que d'alcool, sont responsables de bien des conditions irréversibles qui peuvent affliger votre corps. L'embonpoint est l'une des causes principales des maladies cardiaques et respiratoires. Cela se comprend: les organes internes ne peuvent fonctionner adéquatement s'ils nagent dans la graisse; les masses adipeuses enserrent les organes et limitent leur productivité.

Mais la graisse est aussi responsable du durcissement des artères (qui font circuler le sang dans tout le corps). Vous devez également penser à votre cœur: il travaille 24 heures par jour pour pomper et pour propulser le sang dans tous vos vaisseaux; si vous lui demandez, en plus, de transporter du poids supplémentaire, vous le fatiguerez deux fois plus vite.

L'alcool peut également devenir un problème de taille. Il est agréable de boire quelques verres de vin ou de bière; il peut même nous arriver, à l'occasion, au cours d'une fête, d'un événement particulier, de boire un peu plus qu'on ne le devrait. N'en faisons pas un drame. Mais retenons néanmoins qu'il est dommageable de boire avec excès fréquem-ment. D'une part, l'excès d'alcool détruit des neurones du cerveau. Bien sûr, le cerveau est constitué de plusieurs mil-lions de cellules, mais, attention! une fois qu'elles sont détruites, c'est fini. Les neurones ne se reproduisent pas. Vous en avez un certain nombre au départ et en perdez tous les jours. C'est un processus normal. Boire avec excès accé-lère toutefois le rythme de destruction de ces cellules qu'on ne peut régénérer.

Une autre conséquence de l'abus d'alcool est le mal que vous faites à votre foie, autre organe essentiel à la vie. Les conséquences de boire et de manger avec excès sont trop connues pour que nous y revenions. Examinez vos habitudes alimentaires et demandez-vous sérieusement si le jeu en vaut la chandelle.

ET LA DÉTENTE?

Un autre point qu'on a souvent tendance à oublier, le som-meil. En général, nous ne portons attention au sommeil que lorsque nous en manquons. Parlez-en à un insomniaque: le manque de sommeil peut devenir une obsession; plus on en est privé, plus on en veut et moins on arrive à dormir. Il ne faut pas hésiter à augmenter votre part de sommeil si vous vous sentez fatigué.

L'anxiété et l'inquiétude sont parmi les causes princi-pales du manque de sommeil. Aussi, examinez et éliminez ces fléaux de votre existence; vous pourrez alors trouver aisé-ment le sommeil. Un esprit *épuisé* ne peut penser clairement, alors qu'après une bonne période de repos, il est plus suscep-tible de trouver une solution à n'importe quel problème.

Accordez-vous donc une période de détente tous les jours; faites l'effort de consacrer au moins quinze minutes par jour à des exercices de relaxation. Cela aura pour effet d'augmenter votre niveau d'énergie. Respirez profondément, de façon régulière. En oxygénant vos poumons, vous faites du bien à tout votre organisme.

Il vous faut aussi apprendre à cesser de critiquer sans relâche. Que ces critiques soient dirigées vers les autres, les événements, les choses, elles tournent tout votre esprit vers des pensées négatives qui l'empoisonnent. Elles vous empêchent de voir ce qui est beau et bon autour de vous. Et puis, en critiquant tout le temps, vous invitez les autres à faire de même à votre égard. Évitez donc de vous complaire dans la critique et les ragots, et fuyez ceux qui le font. Apprenez à être tolérant à l'égard des autres et de leurs petites manies — ils vous le rendront bien.

Vous devez également accepter et apprécier votre corps comme il est. Vous pouvez le transformer et l'adapter à vos besoins, aux nécessités de votre existence, mais si vous le critiquez constamment, jamais vous n'en serez satisfait. Changez ce qui vous agace ou vous déplaît et apprenez à vivre avec le reste.

Il est ridicule de vous en faire parce que vous êtes grand ou petit, vous ne pouvez rien y changer. Si votre poids vous tracasse, une fois que vous avez accepté le fait que vous êtes responsable de votre maigreur ou de votre embonpoint et que vous cessez de simplement vous en faire à ce sujet, vous pouvez prendre les mesures nécessaires pour gagner quelques kilos ou en perdre.

Lorsque vous acceptez votre corps comme il est, vous pouvez transformer ce qui vous semble moins harmonieux pour que vous soyez, *vous*, satisfait.

NORMAL!

Ce qui est normal, c'est d'être en bonne santé, et non pas d'être malade. Concentrez donc vos énergies sur cette idée plutôt que de penser aux problèmes de santé ou à la maladie. Examinez aussi vos croyances à ce sujet. Si vous vous répétez constamment qu'il est dans votre nature d'être malade, c'est probablement ce qui se produira — nous verrons plus tard l'importance de l'action de votre subconscient à ce sujet.

Les pensées négatives, qui proviennent habituellement de l'anxiété, de la jalousie, de l'envie, de la peur, peuvent vous miner littéralement. Pourquoi alors entretenir de telles pensées qui ne font que vous détruire? Cherchez plutôt à découvrir l'origine de ces émotions et de ces sentiments que vous entretenez et apprenez à vous pardonner les erreurs que vous avez pu commettre. Apprenez aussi à pardonner aux autres.

Ne gardez pas l'envie ou la colère enfouies en vous; ces émotions empoisonnent votre corps jusqu'à provoquer des malaises chroniques, car les pensées que vous acceptez au niveau de votre subconscient se traduisent directement en conditions et en expériences. En d'autres mots: prenez garde à ce que vous pensez! Ce ne sont pas des paroles en l'air; il s'agit plutôt d'une loi universelle, celle de l'action et de la réaction.

Clairement, cela signifie que votre pensée est une action et que la réaction est la réponse, spontanée, de votre subconscient à cette pensée. Si vous entretenez des pensées de maladies, des peurs d'avoir le cancer ou quelque autre maladie, vous pouvez la matérialiser. Il vous faut donc évaluer soigneusement la *qualité* de vos pensées afin d'en mesurer l'impact.

Un autre aspect important pour maintenir une bonne santé est d'occuper votre esprit par des attentes positives, des projets excitants qui vous donnent des espoirs et entretiennent votre bonne humeur. Si, au contraire, vous laissez votre esprit ruminer les défaites, remâcher les critiques, imaginer que tout le monde vous en veut, à la longue, vous ressentirez des brûlures d'estomac, des maux de tête et toute la kyrielle des malaises causés par le stress.

Vous devez donc apprendre à rire et à vous détendre, à penser, à *imaginer* de façon positive. Si vous ne pouvez vraiment trouver aucune qualité ni aucun bon côté à une personne ou à un projet, changez-vous les idées, pensez à autre chose, concentrez-vous sur un nouveau projet, sur une nouvelle idée excitante.

AVOIR LA FOI

Implantez de nouvelles pensées dans votre esprit. Rappelez-vous sans cesse que votre subconscient renferme un vaste et puissant pouvoir de guérison. Si vous avez tendance à répéter constamment que vous avez une mauvaise santé ou que vous souffrez d'une faible constitution, rejetez-en l'idée et répétez-vous plutôt, consciemment, le contraire. La répétition entraînera l'acceptation de cette nouvelle croyance. Une fois que celle-ci sera fermement implantée, vous serez effectivement moins (ou moins souvent) malade.

Voyez votre esprit comme un jardin: plantez-y de nouvelles idées, cultivez-les soigneusement; ce n'est qu'ainsi qu'elles se manifesteront. Ça ne se fait pas en un coup de baguette magique, d'accord. Mais avec de la persévérance, vous y arriverez. Ayez confiance en votre pouvoir personnel.

La pensée positive peut vous aider, comme elle peut également aider les autres. Lorsque vous priez pour un autre — la prière est une forme de pensée positive —, sachez que cette action-pensée peut effectivement aider cette personne. Ayez foi en cette possibilité et elle se réalisera.

Tout le monde sait que certaines guérisons, qu'on qualifie de miraculeuses, se produisent encore de nos jours. Plusieurs de ces miracles, notamment ceux qui surviennent en des lieux de pèlerinage, ne sont dues qu'à la grande foi animant l'individu qui prie. Cette énergie libère alors la force de guérison dans le corps de cette personne. Des lieux comme Lourdes et Fatima, pour ne nommer que ceux-là, sont des réservoirs d'énergie incroyables. Toutes les prières qui y sont dites forment une gestalt qui peut vraiment guérir — à condition, bien sûr, que la personne y croie.

Dès qu'on admet que toutes les maladies trouvent leur origine dans notre esprit, nous pouvons croire qu'elles peuvent aussi être guéries par celui-ci. C'est d'ailleurs la logique même. Évidemment, cela ne signifie pas de cesser de prendre des antibiotiques pour traiter une infection ni de négliger de consulter votre médecin, ou de renoncer à une intervention chirurgicale nécessaire. Nous devons faire face aux événements et, surtout, ne pas jouer à l'autruche.

La pensée positive n'est pas une façon d'éviter notre responsabilité, bien au contraire; c'est une façon d'assumer nos responsabilités vis-à-vis de tout ce qui survient dans notre existence. Si vous faites attention à votre corps, vous serez en meilleure santé, mais un accident peut toujours survenir.

Ce qu'il faut accepter, c'est qu'il est de peu d'importance que vos croyances soient vraies ou fausses dans l'absolu, parce que le subconscient répond à vos pensées et non à la réalité (ou à la vraisemblance) de celles-ci. Le subconscient croit tout ce que vous lui dites, il ne rationalise pas, ne discute pas et ne juge pas de la crédibilité ou de la pertinence de ce que vous affirmez. Nous verrons d'ailleurs, un peu plus loin, comment fonctionne notre subconscient et comment nous pouvons le guider vers le bonheur, la santé et la prospérité. Il deviendra alors évident que si vous dirigez correctement votre subconscient, vous serez en mesure de vous guérir.

Mais d'abord, vous devez examiner votre état de santé et établir un plan d'action pour transformer les idées et les concepts que vous entretenez et qui vous nuisent. Les maladies sont souvent des signaux d'alarme. Élaborer ce plan occupera tant votre esprit que cela vous empêchera de ruminer des pensées négatives! Vous devez regarder objectivement votre corps, votre état de santé et penser positivement. Quelles sont vos qualités? Quelles sont vos forces? Qu'est-ce que vous aimez particulièrement chez vous?

Comme je l'ai dit précédemment, vos croyances ne sont que des pensées, mais ces pensées contribuent à créer une réalité conforme à ces croyances. Et si cela joue sur tous les plans de votre vie, l'effet est encore plus manifeste sur votre corps et votre santé. Si vous êtes persuadé que vous êtes malade, tôt ou tard vous le deviendrez. Le problème, c'est qu'une fois que vous serez malade, il ne sera pas facile de vous guérir. Un rhume qui dure une dizaine de jours est incommodant, sans plus; en revanche, un rhume qui perdure pendant toute la saison hivernale, ce n'est pas quelque chose de normal.

Cherchez donc à reconnaître ce qui est à la base de ce type de malaise. Si vous découvrez que certains sont d'ordre psychosomatique, ne partez pas en peur. Il n'y a pas de honte à cela. En fait, remerciez-en le ciel, parce que vous serez à même de les régler en vous servant de votre esprit, sans avoir de notions anatomiques ou médicales. Si vous vous découvrez du ressentiment envers vous-même ou envers quelqu'un d'autre, pardonnez et vous serez libéré de vos maux.

Vous devez aussi vous rappeler qu'un esprit abattu, déprimé ou découragé peut provoquer des réactions physiques. Un environnement familial où règnent la discorde et la critique continuelle, par exemple, rend propice l'apparition de malaises et de maladies. Si le bonheur attire le bonheur, la querelle et la discorde attirent les problèmes et les maux en tout genre. Si vous vivez dans un tel environnement, faites ce qui est nécessaire pour transformer cette situation.

Si vous vous querellez constamment avec votre conjoint, il ne vous sera pas possible d'avancer dans la voie du changement, du bonheur ou du succès, sans prendre certaines dispositions. Faites un pacte avec lui; décidez ensemble de ne jamais vous disputer pendant les repas, particulièrement si vous avez des enfants. Faites en sorte que les sujets *sensibles*, les cris et les larmes soient bannis à table. Vous verrez que ce temps d'harmonie sera très profitable. En parlant de sujets anodins et amusants, vous créez un environnement plus sain, plus joyeux, qui vous prédisposera à régler plus sereinement et plus efficacement les autres sources de problèmes.

Vous n'avez pas à subir un environnement de hauts cris et de critiques, mais le premier geste à faire pour éviter ce genre de discussion, c'est de refuser d'y prendre part. Si les gens critiquent constamment, refusez de vous joindre à la conversation ou faites en sorte de l'orienter autrement. Si les autres refusent ou reviennent sans cesse sur le sujet, quittez tout simplement la pièce. Non, vous ne pouvez pas changer les autres, mais vous pouvez changer votre attitude.

La critique peut empoisonner l'existence. Cette habitude négative peut nous sembler anodine si nous sommes entourés de gens qui critiquent tout le temps ou, pis encore, si nous nous y livrons nous-mêmes plus ou moins régulièrement. Il fait toujours trop chaud ou trop froid; il pleut alors qu'on voudrait qu'il fasse soleil; le livre, la pièce de théâtre ou le spectacle étaient bien, mais...; tout coûte trop cher... Quel que soit le sujet, on peut effectivement toujours trouver à redire.

Même si vous êtes de ceux qui ne se livrent pas systématiquement à la critique, cela ne signifie pas que vous y échappiez pour autant. Près de personnes qui critiquent, vous sentez votre humeur devenir maussade. Vous qui étiez de bonne humeur en arrivant, vous vous sentez devenir triste, mécontent ou en colère, sans raison apparente. Eh oui, l'influence de cette attitude est insidieuse. Vous devez briser le cercle de ces paroles et de ces critiques avant de sombrer vous-même dans ce comportement. Tentez alors de changer le sujet; si vous ne parvenez pas à le faire, éloignez-vous de la discussion, voire des personnes qui la soutiennent. Ne vous sentez pas coupable et n'écoutez pas leurs justifications.

Vous avez le droit d'être heureux, vous avez le droit inaliénable de vous sentir bien. Si les autres décident de se rendre malheureux et malades en critiquant constamment, c'est leur droit, mais vous avez la responsabilité de votre propre bien-être. Soyez ferme et poli, compréhensif aussi, mais ne vous laissez pas entraîner dans ce cercle vicieux.

VISUALISER

Servez-vous de la visualisation créative pour vous maintenir en santé ou pour guérir. L'image mentale que vous créez dans votre esprit est très forte, à la condition que vous persévériez. Maintenez une image mentale de votre corps en bonne santé et refusez de vous prendre en pitié lorsque vous ressentez certains malaises; il est entendu que vous devez vous soigner et prendre soin de vous, mais ne tombez pas dans les pleurs et la déprime. Vous devez entretenir une pensée positive qui renforcera votre volonté de guérir, et non vous laisser entraîner dans des voies qui vous affaibliront encore plus. Vous devez accepter votre condition, mais, surtout, il vous faut réagir.

Un programme
en sept jours

D'entrée de jeu, prenez la décision de consacrer une semaine entière pour implanter cette nouvelle façon de penser. Au cours de cette période, vous devez vous concentrer exclusivement sur cette forme de pensée et ne pas vous soucier du reste. Ce programme est en accord avec la grande loi de la prospérité; logiquement, lorsque vous l'appliquez, les conditions de votre existence entament le processus de transformation.

Pendant une période de sept jours, vous ne vous attarderez pas à une seule pensée négative. Autrement dit, pendant ces sept jours, vous devrez constamment être à l'affût et éviter que votre esprit entretienne des pensées qui ne sont pas positives, contructives, optimistes et bienveillantes. Vous constaterez rapidement que ce ne sera pas nécessairement une tâche facile; pour tout dire, il s'agit d'une mesure draconienne.

En revanche, cette semaine suffit à implanter, dans votre subconscient, une nouvelle manière de penser positive. Les améliorations se feront bientôt sentir de façon extraordinaire.

Il faut néanmoins reconnaître que la première période de sept jours sera très difficile. Redisons-le: on n'a rien pour rien et ce programme est effectivement radical. Pour faire une comparaison, disons que ce programme est au moins aussi difficile qu'un jeûne complet où vous ne feriez que boire de l'eau pendant sept jours.

Au point de vue mental, ce programme ressemble à l'endoctrinement utilisé dans l'entraînement de forces armées; il requiert une discipline certaine et une vigilance de tous les instants. Bien que l'effort à faire soit réel, dites-vous qu'il ne s'agit somme toute que d'une période d'une semaine que vous devrez traverser, qu'elle aura des répercussions aussi étonnantes que merveilleuses sur tout le reste de votre vie.

Une fois cette période passée, votre vie se trouvera transformée. Les choses seront tellement meilleures qu'il est difficile de l'imaginer avant d'en faire l'expérience. En outre, une fois ces sept jours passés, vous découvrirez que cette manière de penser est si agréable — si bénéfique — qu'elle est, en fait, plus facile à entretenir que celle que vous aviez adoptée auparavant. Votre mentalité changera et s'adaptera facilement à ces pensées positives qui attirent la joie, le bonheur et la prospérité dans votre vie.

Avant toute chose, je vous suggère de ne pas entreprendre ce programme à la légère, sur un simple coup de tête. Je vous conseille d'y réfléchir sérieusement pendant un jour ou deux avant de tenter l'expérience. Une fois que vous êtes convaincu que vous pourrez en tirer un bénéfice, vous pourrez vous y mettre.

Vous pouvez commencer n'importe quel jour, à n'importe quelle heure. L'essentiel est de conserver et de maintenir le rythme que vous adopterez pendant une période de sept jours — période essentielle pour orienter votre esprit différemment et, surtout, définitivement.

Faites attention aux «faux départs»; si vous échouez au bout de quelques minutes ou de quelques heures, prenez un temps d'arrêt et recommencez. Faites la même chose si cela se produit au bout de deux ou de trois jours. Ne balayez pas l'incident sous le tapis en continuant comme si de rien n'était. Cela ne fonctionne pas de cette façon. Si un écart de pensée survient après quelques jours, arrêtez-vous pendant 48 heures et recommencez à zéro. Vous devez faire cet exercice pendant sept jours consécutifs de façon ininterrompue afin que l'implantation de cette nouvelle forme de pensée se fasse harmonieusement.

C'est un peu comme le régime auquel doit se soumettre un alcoolique: si vous désirez obtenir un résultat valable, vous ne pouvez tricher. On ne peut être *un peu* alcoolique, tout comme on ne peut être, non plus, *un peu* enceinte: on l'est ou on ne l'est pas. C'est de cette façon qu'il faut voir le programme: pour changer sa manière de penser, il faut absolument s'abstenir de toutes pensées négatives pendant une période de sept jours. Moins que cela n'est pas suffisant et l'exercice sera vain.

Cette période de sept journées consécutives, donc, permet à votre esprit conscient d'enregistrer le nouveau modèle de pensée que vous voulez instaurer et donne le temps à votre subconscient de vraiment travailler pour vous.

Vous devez comprendre qu'en règle générale, et cela pour bien des raisons, mais notamment en raison de l'influence d'une éducation judéo-chrétienne stricte, nous sommes programmés à craindre le pire, à nous complaire dans la culpabilité, voire à appréhender le plaisir. La pauvre petite pensée positive qui survient inopinément (et occasionnellement) n'est pas de taille pour lutter contre la marée d'émotions négatives que nous entretenons la plupart du temps.

Il s'agit d'ailleurs, en fait, d'un cercle vicieux, car plus nous sommes négatifs, plus nous trouvons des raisons logiques, *explicables*, de l'être encore plus. Nous en venons ainsi, la plupart du temps inconsciemment, à redouter le plaisir et les bons moments parce que nous avons la conviction qu'il faudra plus tard en payer le prix — la peur que le ciel nous tombe sur la tête devient une réalité! Il faut donc, par conséquent, donner le temps à notre conscient, plein de doutes, de se faire à l'idée de penser positivement et à notre subconscient de détourner l'énergie vers des buts positifs.

UNE PENSÉE NÉGATIVE, C'EST QUOI?
Pour arrêter les pensées négatives, il faut les déceler.

Retournez au début de ce livre (page 21) et examinez vos croyances et vos pensées habituelles; toutes les pensées (ou les sentiments) que vous entretenez et qui gravitent autour des sentiments et des notions d'échec, de déception, d'ennui, de critique, de dépit, d'envie, de jalousie.

Toutes ces notions, toutes ces idées sont à éliminer; toutes les pensées qui vous accablent, vous ou les autres, qui évoquent la maladie, l'accident, qui invitent au pessimisme, sont également à proscrire. Toutes les pensées qui ne sont pas positives, constructives, qu'elles soient dirigées vers vous ou les autres, sont aussi à chasser de votre esprit. Comment toutes les trouver? Ne vous en faites pas trop, vous saurez très rapidement comment les déceler. Si votre tête ou votre cerveau est dupe, votre cœur vous le laissera savoir.

Autre point à souligner: vous ne devez pas vous concentrer sur les pensées négatives; cela n'exclut certes pas que ces pensées vous effleurent l'esprit de temps à autre, mais cela implique que vous ne leur portiez pas attention. En termes clairs, vous devez choisir de ne pas *cultiver* ces pensées négatives, c'est là toute la différence. Il importe peu que des pensées négatives vous viennent à l'esprit, vous ne devez tout simplement pas leur donner suite ni vous y attarder.

Il est important que ce point soit clair, car beaucoup de ces pensées (négatives) viendront faire leur tour dans votre esprit; elles surgiront pour ainsi dire de nulle part et virevolteront dans votre tête. C'est là quelque chose de normal; vous devrez les laisser faire, mais surtout les ignorer et passer à autre chose.

Certaines de ces pensées négatives vous seront apportées par les autres, par leur conversation ou par leurs actions. Il peut aussi s'agir de nouvelles que vous recevrez par les journaux, par l'annonce d'un désastre. Toutes ces choses et pensées nuisibles qui frappent votre esprit ne peuvent vous atteindre si vous ne vous attardez pas sur elles.

Vous devez donc les écarter dès qu'elles tentent de s'enraciner dans votre esprit. C'est un peu comme si vous étiez assis près d'un feu: si une étincelle se pose sur vos vêtements, vous la chassez immédiatement afin qu'elle n'enflamme rien. Il en va de même avec les pensées négatives. Vous ne devez pas les laisser s'installer dans votre esprit. Ayez une attitude ferme envers toutes les pensées négatives, d'où qu'elles proviennent. Ne vous laissez pas prendre au jeu; aussitôt qu'elles apparaissent, écartez-les. C'est la seule règle.

Il se peut que votre univers tremble pendant cette période, mais tenez bon et refusez de vaciller avec lui. Raccrochez-vous. Une fois que cela sera passé, vous pourrez voir votre réalité se recomposer de façon plus que satisfaisante. N'oubliez pas: vous ne devez pas vous concentrer sur ce qui se passe, car cela peut revenir à entretenir une pensée négative.

Ce n'est pas facile, vous verrez, car vous aurez parfois l'impression que votre monde est ébranlé, qu'il est à la veille de s'effondrer, et ce pourra effectivement être le cas. Ce n'est pas un mal, car cet univers ne s'effondre que pour mieux faire place à une nouvelle réalité qui vous convient mieux. Ne cédez donc pas à la peur ou à la déprime. Gardez votre optimisme, pensez positivement. Quelles que soient les apparences de *catastrophe*, soyez fort et le résultat vous surprendra.

Cela dit, ne faites pas étalage de votre décision de suivre ce programme, n'invitez pas inutilement les critiques. En mettant en pratique ce programme, vous aurez déjà assez de difficultés à vous concentrer sur vos propres pensées et à chasser les énergies négatives, sans avoir à composer avec les critiques, les jugements et les doutes des autres, dont certains chercheront à vous miner le moral, juste pour le plaisir de prouver qu'ils ont raison lorsqu'ils disent que jamais rien de bon ne se produira ni pour vous ni pour personne.

Une fois que vous aurez réussi avec succès cette expérience fantastique, alors vous pourrez vous en ouvrir — et vous aurez effectivement quelque chose à montrer.

Travailler
à quelque chose et attendre autre chose

Tout commence avec votre esprit et vos pensées, mais vous ne pouvez pas dissocier vos pensées de vos attentes. D'ailleurs, si vous le faites, vous n'arriverez à rien dans la vie. Vous ne pouvez être positif en apparence et craindre le pire au fond de vous. Dans ce domaine, plus que dans bien d'autres, les apparences ne comptent pas; vous ne pouvez ressentir et extérioriser ce que vous ne croyez pas intrinsèquement. Ces apparences peuvent certes leurrer les autres, et encore pour un temps seulement, mais elles ne comptent pas vraiment pour ce qui est d'attirer vers vous ce que vous désirez.

Bas les masques, donc, car ils ne servent à rien; l'apparence de la richesse n'est pas la richesse — et si vous désirez la richesse dans votre vie, vous devez être convaincu que vous la méritez. Vous devez donc *ajuster* votre perception de la vie si vous voulez obtenir ce que vous désirez.

Bien des gens neutralisent tous leurs efforts parce qu'ils dissocient leurs pensées de leurs actions. Ils travaillent pour obtenir un certain résultat, mais leurs pensées sont orientées vers autre chose. Ce qui se produit, alors, c'est que le conscient et l'inconscient travaillent indépendamment l'un de l'autre et que rien ne se produit. Pis encore, ces personnes éloignent ce qu'elles tentent d'approcher.

Travailler très fort dans un but précis et être néanmoins convaincu d'avance de l'échec est purement et simplement une perte de temps. Si l'on veut devenir riche et qu'on entretient le sentiment qu'on sera toujours pauvre, on ne le deviendra jamais, car la conviction profonde empêchera l'atteinte de l'objectif, la concrétisation du rêve. Le doute incessant empêche toute victoire. En d'autres mots: si vous êtes convaincu de l'échec, il vous sera impossible de réussir.

Le principe est d'ailleurs simple, parce que les pensées qu'on entretient agissent en quelque sorte à la façon d'aimants qui attirent les événements vers nous. Si vous craignez constamment l'échec, c'est ce que vous attirerez; si vous vous plaignez constamment, vos conditions ne pourront s'améliorer — parce que toute votre énergie sert à vous plaindre. Vous sapez votre énergie, vous gaspillez vos forces à prévoir le pire et vous n'avez plus celle de croire au succès.

LA MÊME «NATURE»

La grande loi est que vous ne pouvez attirer vers vous des choses qui vont à l'encontre de votre nature. Comme vous devez définir quelle est votre nature, ces choix sont les vôtres; bref, vous attirez ce qui vous ressemble. Vos attentes sont le reflet de ce que vous êtes, mais elles doivent être harmonisées avec vos pensées et votre nature. Vous n'existez pas en vase clos, toutes vos pensées et vos espoirs doivent être cohérents; vous ne pouvez connaître le bonheur ou la prospérité si vous êtes convaincu que le bonheur réside dans la pauvreté. Pourtant, que cela soit clair, ce n'est pas que vous soyez nécessairement heureux lorsque vous êtes pauvre — une partie de vous désire très certainement être prospère. Votre esprit fait donc face à un sérieux dilemme! Voilà pourquoi vous devez harmoniser vos pensées, vos attentes et vos désirs.

Examinez bien vos croyances, comme je le suggérais aux toutes premières pages de ce livre, car elles peuvent s'avérer des obstacles auxquels vous ne pensiez pas. Tant que vous ne pourrez aligner vos pensées et vos désirs avec vos convictions et vos croyances, vous ne pourrez atteindre les buts que vous désirez.

Faites le ménage dans vos croyances et débarrassez-vous de celles qui sont désuètes et qui ne correspondent plus à ce que vous voulez.

Pour ce faire, vous devez comprendre d'où elles proviennent et quel est votre attachement à ces idées. Par exemple, pourquoi croyez-vous que l'argent est *sale*? Cela peut provenir d'un incident lorsque vous étiez enfant. Si tel est le cas — mais ce n'est qu'un exemple parmi tant d'autres —, prenez conscience que vous n'êtes plus ce que vous étiez et que la situation n'est plus, non plus, ce qu'elle était; bref, vous avez changé: allez-vous laisser un tel incident régir votre avenir?

Il se peut aussi que les pensées négatives qui vous affectent proviennent de votre entourage. Il arrive assez souvent, par exemple, que des esprits positifs deviennent en quelque sorte la proie d'esprits négatifs; «la *misère* aime la compagnie», comme disent les Anglais, et bien des personnes en situation de dépression entraînent celles qui les entourent sur cette pente pernicieuse. Ce n'est pas nécessairement par méchanceté que ces personnes agissent ainsi; elles sont les victimes de leurs propres pensées et laissent celles-ci prendre le contrôle. Mais à force d'être en contact avec ce genre d'individus, une personne positive peut devenir plus faible et se laisser entraîner vers le négatif.

Tout est une question d'harmonie. Et, comme je l'ai déjà souligné, pour chaque action il existe une réaction. Dans de telles conditions, il faut prendre conscience que nous sommes maîtres de notre esprit et que personne ne peut nous forcer à croire quelque chose sans notre accord. Nous devons être vigilants et cesser de répéter des choses qui bloquent notre créativité ou notre prospérité.

Le mécanisme de nos pensées reproduit fidèlement tout modèle donné; en conséquence, nous devons faire particulièrement attention aux images mentales que nous projetons par nos pensées, comme nous devons prendre garde à ceux qui nous entourent. Nous sommes responsables de ce qui nous arrive, mais si nous laissons quelqu'un prendre les guides de notre existence, nous perdons notre pouvoir de décision et le prix à payer peut être très élevé.

À force de se faire dire qu'on ne vaut rien, on finit par le croire...

Il existe d'ailleurs certaines situations, particulièrement dans l'enfance, où nous ne pouvons refuser les opinions et les jugements. Par contre, une fois devenu adultes, nous sommes responsables de notre environnement. Si vous vivez avec des gens qui passent leur temps à vous juger, à vous critiquer et à vous dire que vous ne valez rien, vous avez un sérieux problème. Qu'est-ce qui vous pousse donc à tolérer cela?

Pensez à votre survie et n'essayez pas de changer ces gens; leurs problèmes ne sont pas les vôtres et rester à leurs côtés équivaut à rester dans un navire qui prend l'eau!

Vous n'êtes responsable que de vous.

Agissez!

LA CRITIQUE

Comme le sujet premier de cette section est l'harmonie, nous allons en profiter pour aborder l'aspect de la critique personnelle.

S'il existe quelque chose d'inutile dans l'existence, c'est bien la critique non constructive parce que lorsqu'on critique, on génère une force négative qu'on dirige vers soi ou les autres et qui ne sert, en bout de ligne, qu'à perturber ou à détruire l'harmonie existante. La critique ne sert qu'à nous confiner dans nos limites; c'est la raison principale qui empêche bien des gens d'atteindre les buts qu'ils se fixent dans la vie. La critique non constructive sabote tous les efforts; elle sape l'énergie et empêche de se concentrer sur les vrais problèmes, sur les événements déterminants. La critique est mesquine et elle tend à rapetisser tout ce qui l'entoure.

Combien de fois avons-nous entendu des propos désagréables, des critiques blessantes qu'on proférait «pour notre bien»? Sous des airs de vouloir notre bien, des personnes nous infligent des blessures profondes dont nous avons par la suite de la difficulté à nous débarrasser parce que, nous disons-nous, elles sont censées avoir été faites dans le but de nous améliorer. Or ces critiques n'apportent que le désespoir et le chagrin; rien d'utile ne ressort de ces petites phrases souvent assassines.

Et il n'y a pas que les autres! Il arrive que nous soyons nos pires critiques et, de ce fait, que nous nous infligions des blessures cinglantes qui, au lieu d'améliorer notre sort, nous précipitent dans un gouffre d'amertume et de regrets, renforcés par les critiques émanant d'autres personnes.

Il faut savoir discerner le bon du mauvais, soit. Mais il ne faut pas se faire juge de la conduite des autres; s'ils agissent ainsi, c'est qu'ils ont des raisons de le faire et vous n'êtes pas responsable de leur comportement ou de leur attitude. La critique que vous pouvez en faire ne sert donc à rien.

De plus, vous devez pleinement prendre conscience que lorsque vous vous critiquez, vous ne changez rien à votre comportement, vous vous châtiez avec des paroles cinglantes, mais vous n'apportez rien de constructif. Cela fait un peu penser aux personnes violentes qui, après avoir cédé à leurs pulsions, pleurent et se critiquent. Le problème, c'est que, dans la majorité des cas, elles ne font rien pour changer leur comportement; elles se critiquent et parlent sans cesse, trouvent des justifications pour leurs actions, critiquent et se font critiquer... mais n'effectuent aucun changement véritable.

La critique ne change rien, ce n'est pas une analyse de la situation: c'est une perte de temps, une perte d'énergie.

Lorsque vous critiquez, vous-même ou les autres, vous concentrez vos pensées et votre attention sur un ou des aspects négatifs; vous ne faites rien pour les transformer, vous vous contentez de faire le constat d'une situation, d'un état d'être. L'habitude de la critique vous entraîne alors dans un cercle vicieux qui perpétue le comportement stupide.

En critiquant constamment, vous perdez de vue vos buts et vos aspirations, toute votre attention se porte alors sur vos fautes... présumées ou véridiques. Cela n'a aucune importance puisque même si vous n'avez pas les défauts que vous critiquez vertement, vous finirez par les acquérir. Ces critiques empoisonnent votre esprit jusqu'à ce que vous ne voyiez rien d'autre et, avec le temps, ce sont ces «défauts», ces «fautes» qui en viendront à contrôler votre existence. Il est utile de vous souvenir que vous *n'êtes pas* vos défauts; vous *avez* des défauts, que vous pouvez corriger avec du temps et quelques efforts.

Plus souvent qu'autrement, la critique détruit sans rien apporter pour remédier à la situation en cause. Il est préférable de ne pas critiquer, du moins en général, et lorsque vous le faites, prenez soin d'ajouter un commentaire constructif, ce qui permettra de bâtir votre confiance et votre estime personnelle.

DE NOUVELLES CROYANCES

Lorsque vous tentez d'édifier un nouvel édifice de croyances, lorsque vous vous efforcez de changer des comportements ou des attitudes qui ne vous conviennent plus, prenez soin de rompre complètement avec votre habitude de tout critiquer, particulièrement vous-même. Vous devez mettre en pratique ce que vous prêchez, mais pas seulement pour une courte période, ou lorsque cela vous le dit. Car c'est là que réside le plus grand obstacle: ne pas laisser tomber vos nouveaux principes, en retournant aux pensées négatives et aux critiques destructives, avant que l'arbre ait porté ses fruits. Si vous agissez ainsi, vous réduirez à néant tout votre travail en moins de temps qu'il ne vous en a fallu pour l'ériger. C'est comme le tissage de Pénélope, qui travaillait tout au cours du jour et revenait le soir pour défaire ce qu'elle avait accompli. On peut travailler pendant bien des années de cette façon sans jamais obtenir le moindre résultat.

Faire Le ménage

Que voilà une idée incongrue lorsqu'on pense à notre esprit, *faire le ménage!* Elle est pourtant essentielle pour son bon fonctionnement. On sait pertinemment que la nature a horreur du vide et c'est particulièrement vrai en ce qui concerne l'abondance — pris dans son sens le plus large, c'est-à-dire sur le plan de la santé, de la richesse, des possibilités, quoi! Qu'il s'agisse du positif ou du négatif, l'abondance est là sous une forme ou une autre. En d'autres termes, débarrassez-vous de ce que vous ne voulez plus, de ce qui ne vous convient plus, afin de faire de la place pour ce que vous désirez.

C'est une règle qui s'applique à tout, des vêtements jusqu'aux idées. Si votre garde-robe est pleine, que vous n'avez plus d'espace pour y placer de nouveaux vêtements, vous vous débarrasserez de ceux qui ne vous conviennent plus pour faire de la place aux nouveaux. Cela vaut aussi pour votre tête! Si votre esprit est plein d'éléments négatifs, vous n'avez plus de place pour les pensées positives. Vous devez donc, d'abord, vous débarrasser des pensées négatives afin de les remplacer par leur contrepartie positive. Votre tête ne restera pas vide longtemps, vous y insérerez spontanément votre nouvelle programmation.

En ce faisant, vous ouvrez la porte à de nouvelles idées plus appropriées qui augmenteront votre confiance en vous. Vous devez vous rappeler que lorsque vous créez un vide, que celui-ci soit matériel ou mental, l'Univers s'empresse de le combler. Il suffit alors de bien diriger ses pensées pour que les objets ou les idées qui viennent remplacer ces choses soient ce dont vous avez besoin.

Ce principe ne s'applique pas seulement aux objets, mais à tout ce qui est matériel, spirituel et mental — il arrive d'ailleurs souvent que tout cela soit relié.

LA LOI DU PARDON

Il existe une autre façon, spirituelle cette fois-ci, de faire le vide, de laisser aller les émotions négatives, le ressentiment, le blâme et de les remplacer par ses contreparties qui sont les sentiments positifs, la joie de vivre et la responsabilité. Il s'agit de ce qu'on appelle communément la «loi du pardon».

La meilleure façon de reconnaître les occasions de pardonner, c'est lorsque nous devons faire face à un problème épineux auquel aucune solution ne semble convenir. C'est souvent, là, le signe qu'on doit pardonner quelque chose, à soi ou à autrui.

La technique du pardon est simple mais, comme dans toute chose, vous devez y croire, être sincère dans votre désir de pardonner pour obtenir un résultat. Cela ne veut pas dire que vous devriez oublier et accepter que se reproduisent les mêmes situations ou les mêmes problèmes. Cela signifie tout simplement que vous refusez d'être encombré par les problèmes résultant de ces actions. Voici une façon de procéder.

Après vous être assuré de profiter d'une certaine période de temps au cours de laquelle vous ne serez pas dérangé, asseyez-vous confortablement. En esprit, pardonnez simplement et sincèrement à tous ceux qui vous ont causé du tort, consciemment ou non; pardonnez à tous ceux avec qui vous êtes fâché, à tous ceux avec qui vous vous êtes brouillé. Demandez pardon à ceux à qui vous avez manqué de respect, à ceux que vous avez accusés à tort ou à raison, à ceux que vous avez critiqués justement ou non. Inconsciemment, ceux-ci vous accorderont ce pardon.

Prenez aussi le temps de vous pardonner tout le mal que vous avez pu vous causer, sciemment ou non. Pardonnez-vous vos pensées négatives, vos critiques, vos désespoirs, et ainsi de suite. Le pardon crée en quelque sorte un vide dans votre esprit, ce qui vous permet d'y implanter des pensées positives, bénéfiques et heureuses.

Une fois que cet exercice est terminé, que vous avez pardonné aux autres et à vous-même, affirmez et confirmez votre libération de ce joug. Selon vos croyances, vous pouvez imputer cette libération à Dieu, à l'Être suprême, à votre conscience, mais cela reste secondaire. Vous ressentirez un poids quitter vos épaules et votre esprit sera plus léger.

La libération est vitale, car elle permet de ne plus être troublé par les mille problèmes du quotidien. Relâchez vos soucis, votre inquiétude et laissez faire l'Intelligence divine, vous ne perdrez rien. En vous délivrant du fardeau par le pardon, vous accroîtrez votre pouvoir d'attirer le bien sous toutes ses formes.

Mais le pardon, comme l'action de faire le vide en se débarrassant d'objets matériels, doit être sincère. Si vous donnez vos vêtements tout en restant attaché à ceux-ci, vous n'attirerez rien vers vous car votre esprit restera avec eux. Vous les regretterez, quoi! Il en va de même en ce qui touche la dimension spirituelle ou mentale; une fois que vous avez pardonné, vous ne devez plus nourrir de ressentiment, que ce soit envers vous-même ou envers quelqu'un d'autre.

Si vous sentez que vous êtes demeuré attaché aux biens que vous avez donnés, ou si vous sentez que votre pardon n'était pas tout à fait sincère, ou suffisamment ressenti, répétez mentalement l'exercice en vous efforçant de bien vous concentrer sur vos intentions. S'il s'agit de biens matériels, visualisez-les dans votre esprit et laissez-les partir. Dans le cas de pardon envers une personne, rappelez-vous mentalement la raison pour laquelle vous ressentiez des sentiments négatifs à son égard et pardonnez. Libérez-vous de ce fardeau et vous pourrez ensuite passer à autre chose.

Une fois que votre esprit sera libéré, vous aurez en quelque sorte l'*espace* pour penser à autre chose. Débarrassé de la rancœur ou des ressentiments envers ceux qui vous ont causé du tort, vous serez en mesure de vous concentrer sur des pensées plus productives et constructives.

Il en va de même pour le tort que vous vous causez personnellement. Cessez donc, une fois pour toutes, de vous critiquer constamment! Concentrez-vous sur vos qualités et sur ce qui vous plaît en vous. Les critiques sans cesse rabâchées sont irritantes et finissent par justifier vos mauvaises attitudes ou habitudes. Car chaque fois que vous vous critiquez, c'est un peu comme si vous vous donniez la permission de continuer. Vous vous châtiez et, pour vous venger de vous-même, vous accentuez le défaut qui vous déplaît tant.

Cela vous paraît bizarre? Examinez comment vous réagissez face aux critiques des autres et comment vous réagissez face à vos critiques personnelles. Vous serez sans doute surpris de l'impact négatif que ces critiques ont sur vous.

UTILISER CE QU'ON POSSÈDE

Au lieu de maudire la malchance parce que vous désirez de nouveaux vêtements, portez ceux que vous préférez; au lieu de concentrer votre énergie sur le manque et la privation, sortez votre belle vaisselle et votre argenterie, même pour manger une simple tartine de beurre d'arachide! Allumez des bougies pour déguster votre repas-minute. Créez chez vous l'apparence d'abondance, vous vous sentirez mieux que de conserver votre argenterie pour le jour où vous aurez du caviar!

En résumé, créez le *vide* en vous libérant des pensées qui ne vous conviennent plus. Dans le même élan, servez-vous de vos ressources concrètes, si réduites soient-elles, afin de vivre le mieux possible malgré vos manques. Vous remarquerez que, tout à coup, de nouvelles occasions apparaîtront dans votre vie, lesquelles vous permettront de répondre à vos besoins, à vos désirs. L'abondance appelle l'abondance et vous sortirez facilement de l'infortune, que celle-ci soit matérielle ou émotive.

Votre force réside dans le calme et la confiance. Demandez à votre force divine de vous guider, de vous indiquer le chemin à prendre tant sur le plan pratique que spirituel. Lorsque vous pardonnez, demandez l'aide de votre force divine personnelle afin qu'elle vous aide à vous souvenir de ceux à qui vous devez demander pardon ou l'octroyer. Ne succombez pas à la panique, au sentiment d'impuissance. Il suffit de vous laisser l'espace nécessaire pour que se matérialisent concrètement les choses que vous désirez dans votre vie.

NE PAS FORCER LES ÉVÉNEMENTS

Cela peut paraître simple. En fait, la retenue est très difficile à pratiquer, surtout lorsqu'on manque de quelque chose. Il ne faut cependant pas imposer de direction aux événements, aux circonstances. Vous devez éviter de décider que ceci ou cela doit arriver ou, pis encore, que la situation doit se régler immédiatement. En ce faisant, vous risquez de provoquer plus d'imprévus que nécessaires, et de retarder d'autant le processus.

Vous ne devez à aucun prix utiliser la force de votre volonté pour manipuler les événements, ou pour essayer de les conduire à un dénouement précis. Laissez les lois universelles travailler pour vous, à travers vous. Puisez dans la source infinie d'énergie, mais gardez vos forces pour travailler à façonner votre esprit et l'habituer à penser positivement, en laissant aux forces cosmiques ou divines le soin de s'occuper des circonstances et des événements. Contentez-vous simplement d'être là au bon moment. En d'autres termes, cessez d'essayer!

Avez-vous déjà remarqué combien souvent les gens, autour de vous, affirment avoir essayé de faire ceci ou cela? Ils disent «J'essaie, mais en vain» ou encore «J'ai essayé du mieux que j'ai pu, mais je n'ai pas obtenu de résultat»... Ces personnes sont habituellement abattues, découragées. Tout ce qu'elles ont essayé s'est soldé par un échec. Mais pour quelle raison?

Essayer présuppose qu'on n'est pas certain d'être capable; autrement dit, avant même de commencer, on considère que c'est perdu. Lorsque vous essayez, vous agissez de l'extérieur, un peu en spectateur, c'est-à-dire sans vous sentir pleinement, intimement, engagé. Vos ressources intérieures, votre détermination ne sont pas en jeu. Vous *essayez*, ce n'est pas grave. Par contre, si vous *faites*, c'est qu'en partant vous avez l'impression, le sentiment, mieux, la conviction, que c'est possible. En ce sens, il ne faut jamais essayer de faire quelque chose; on doit le faire ou ne pas le faire.

La situation où vous vous trouvez aujourd'hui a, somme toute, peu d'importance; ce qui importe, c'est la direction vers laquelle vous vous dirigez. Cela vous semble simpliste, mais... pensez-y quelques instants. Si vous êtes assis sans bouger, si vous cessez de faire des projets, si vous vous contentez de vous apitoyer sur votre sort, vous n'arriverez jamais à rien. Ce qui compte, c'est le pas qu'on fait dans une direction. Il vous faut reconnaître — admettre — que vous pouvez, sinon que vous devez retirer quelque chose de vos erreurs, et même de vos échecs. Ne serait-ce que pour les éviter dans le futur.

Si vous vivez constamment dans le passé, vous ne pourrez avancer, passer à autre chose. Il faut, à un certain niveau, reconnaître que le passé doit servir à comprendre le présent et à planifier l'avenir, mais il ne doit pas vous empêcher de passer à autre chose. Si vous marchez en regardant vers l'arrière, vous risquez fort de ne pas savoir la direction que vous prenez; c'est aussi la meilleure façon de trébucher! Un dicton affirme qu'à ignorer le passé, on se condamne à le répéter —, et c'est bien vrai.

Nous devons apprendre de notre passé afin de pouvoir le laisser derrière nous. Par contre, si nous vivons dans le passé et tentons de le recréer, nous sommes voués à l'échec, car le passé n'existe que dans notre esprit. Lorsque nous tentons de le recréer, ce ne sont pas les événements tels qu'ils se sont produits que nous voulons revivre, mais l'image, *l'idée*, que nous nous en faisons, que nous avons gardée. Parce que, ne nous le cachons pas, nous avons souvent tendance à nous rappeler le passé comme nous le voulons, souvent idyllique, mais qui a fort peu à voir avec la façon dont se sont réellement déroulés les événements en question. Le temps embellit les choses...

Ce qui m'amène à discuter de la sentimentalité qui brouille notre perception et embrouille nos idées. Lorsqu'une situation est terminée, il est parfois indiqué de se tourner vers l'arrière et d'analyser la séquence des événements afin de comprendre ce qui s'est produit. Habituellement, c'est la façon la plus directe de constater ses erreurs. Lorsque nous agissons ainsi, nous nous donnons en quelque sorte les outils nécessaires afin de ne pas recommencer. En revanche, si nous nous complaisons dans ces événements et refusons toute responsabilité dans leur déroulement, nous risquons fort, inconsciemment, de réécrire l'événement de façon à en tirer une nouvelle version, dans laquelle nous serons absous de toute faute et de toute erreur.

C'est dans de telles circonstances, alors que nous en venons à révérer le passé en le percevant autrement qu'il était, que nous nous empêchons de nous diriger vers autre chose, d'aller de l'avant dans une direction qui nous mènera réellement quelque part.

SENTIMENTALITÉ OU SENSIBILITÉ
On a parfois tendance à mélanger ces deux notions, mais elles sont très différentes l'une de l'autre. En fait, la sentimentalité est le plus souvent le chemin le plus court vers la déception et l'échec. Sous une apparence inoffensive, anodine, parfois même séduisante, elle peut entraver tous nos efforts en nous berçant d'illusions très tenaces.

C'est la sentimentalité, par exemple, qui nous fait croire qu'une émotion passée est toujours vivante; c'est aussi elle qui colore le passé d'une façon idyllique, qui réussit même à transformer les pires moments de notre existence en un chagrin qu'on en vient à regretter. La sentimentalité est une perte de temps qui ne sert qu'à réécrire le passé plus ou moins lointain, nous projetant l'illusion que *c'était tellement mieux dans ce temps-là*.

Mais ce qui est pire, c'est que la sentimentalité nous coupe de notre pouvoir d'action dans le présent, car rien ne peut se comparer au passé — surtout magnifié! Le hic, c'est que nous ne pouvons rien tirer de ce passé allégorique puisqu'il n'a jamais existé. Nous sommes donc attirés par un mensonge si fort que celui-ci nous convainc que la réalité présente n'est pas vraiment digne de notre attention.

Le risque, avec une telle attitude, c'est que nous vivions, avec le temps, dans l'ombre de notre passé, toujours en train de le pleurer car il ne pourra jamais se reproduire — et se produirait-il que nous ne pourrions pas le savoir tellement nous sommes prisonniers des images qui occupent notre esprit. En nous fermant au présent, nous ne sommes pas concernés par l'avenir et, de ce fait, nous ne pourrons jamais rien accomplir.

La sensibilité, quant à elle, est le moteur de la création, car les êtres qui en sont dotés jouissent de tout ce qui existe en notre monde. Il peut arriver qu'une rose ait quelques épines, mais le parfum de celle-ci vaut bien quelques piqûres!

La sensibilité permet de créer, d'imaginer et de réaliser. Il faut néanmoins faire une distinction, ici, entre sensibilité et sensiblerie. La sensibilité comprend le monde qui l'entoure, alors que la sensiblerie pleure sur le sort de tous et de toutes choses; la sensibilité produit des œuvres immortelles, alors que la sensiblerie ne peut rien accomplir tant elle est occupée à geindre.

S'EN SORTIR!

La première chose à faire lorsque vous vous retrouvez dans une telle situation, c'est d'abord d'arrêter de vous complaire dans vos histoires. Cessez de ressasser le passé; forcez-vous à vivre d'heure en heure, sans céder au piège de vos souvenirs. Lorsque de telles pensées surgiront à votre esprit, faites quelque chose d'inhabituel: allez marcher dans un parc, allez au cinéma voir un film drôle, sortez avec des amis, mais, surtout, évitez de refaire les mêmes pas. Si la conversation bifurque vers le passé et la façon dont *les choses étaient tellement mieux*, détournez-la en parlant de... n'importe quoi! C'est essentiel pour changer votre perspective.

Après avoir mis en pratique pendant quelques semaines les petits exercices suggérés dans cette première partie, penchez-vous sur les événements qui vous tenaient en otage.

Voyez-les tels qu'ils se sont produits et non tels que vous les avez colorés avec votre sentimentalité. Vous pouvez être certain que rien n'était tel que vous en aviez l'impression. Ces événements appartiennent au passé, ils ne doivent pas diriger votre existence.

Donnez-vous l'occasion de faire et de voir autre chose.

La prière et la pensée positive

Prier: Le moyen ultime

La prière est considérée comme l'une des grandes forces de l'Univers. Après avoir été considérée comme *démodée*, voilà que depuis quelques années, on en entend parler de plus en plus. Notre monde qui semblait vouloir tout rationaliser, tout mesurer selon des principes logiques et scientifiques, qui avait balayé l'idée de la prière qu'il assujettissait à une superstition, eh bien, ce monde a bien été obligé de se rendre à l'évidence: la prière possède une très grande puissance.

Dans notre société matérialiste, où le succès se mesure à l'argent et au pouvoir qu'on a sur les autres, il est évident que bien peu de gens avouent ouvertement qu'ils prient. Il faut dire que, pour beaucoup, cela constituerait ni plus ni moins un aveu de faiblesse. Néanmoins, vous seriez surpris de découvrir le nombre de ces gens — des individus que vous côtoyez quotidiennement — qui s'adonnent à cet exercice spirituel.

Par contre, il faut savoir prier de façon efficace.

Posez-vous d'abord la question: avez-vous l'habitude de prier quotidiennement? Dans la majorité des cas, on prie au cours d'une catastrophe quelconque, d'un bouleversement, d'une maladie; on prie pour sauver la vie de quelqu'un, pour la paix dans le monde, particulièrement en temps de guerre.

Mais pourquoi attendre que tout aille mal pour prier? Certes, la prière est bénéfique en temps de crise, mais pourquoi ne pas se servir de cet outil, de cette force bénéfique tout au long de sa vie, en toutes circonstances? Car la prière n'est essentiellement que l'expression d'un désir qu'on a en soi et qu'on veut atteindre ou concrétiser. La prière n'est d'ailleurs pas que l'expression de ce désir, mais elle est aussi sa première manifestation, puisqu'elle constitue un appel aux forces de l'Univers et à celles qu'on possède en soi.

La prière est *naturelle* pour nous, elle existe depuis la nuit des temps. Les premiers hommes priaient le soleil afin qu'il chasse la nuit, parce que celle-ci était très périlleuse, semée d'embûches — le domaine de créatures carnivores très féroces. En évoluant, l'homme s'est mis à réfléchir, et sa conception de son dieu, de son Être suprême, s'est raffinée petit à petit, passant d'une myriade de déités pour finir par la croyance en un seul Dieu omnipotent (du moins dans l'islam, le christianisme et le judaïsme), ce Dieu qui *créa l'homme à son image et à sa ressemblance.*

Cela dit, le concept de Dieu a lui-même connu bien des transformations au cours des millénaires; les anciens dieux demandaient des sacrifices parfois humains. Du Dieu vengeur des Hébreux au Christ qui est venu offrir sa vie pour sauver les hommes, on retrouve une continuité évolutive. Le même processus se retrouve dans toutes les autres grandes religions; à mesure que les civilisations évoluaient, les dieux suivaient en quelque sorte le pas et se transformaient.

Certains diront que ce sont les hommes qui effectuent ces changements, mais sans doute serait-il plus exact de dire que c'est la perception et la compréhension du message original de Dieu ou des dieux, de quelque religion qu'ils soient, qui sont aujourd'hui plus grandes, plus généreuses.

VIEUX COMME LE MONDE!

Outre ces considérations, un fait demeure: depuis le tout début des temps, les hommes ont recours à la prière afin de recevoir de l'aide pour obtenir ce qu'ils désirent. Le fait que nous vivions à une époque marquée par l'insécurité et l'incertitude n'est certes pas étranger au fait qu'on accorde à la prière une importance et une signification accrues.

Lorsqu'on prie tous les jours, on se synchronise en quelque sorte avec la force divine. Le Christ nous l'a bien promis: «Et tout ce que vous demandez en mon nom, vous l'obtiendrez.» Avec les années, de nombreuses *restrictions* ont été imposées sur la nature de ce qu'on pouvait demander en prière; des personnes, sans doute bien intentionnées, ont clamé bien haut que la prière ne pouvait servir que pour des considérations spirituelles. Heureusement pour nous, c'est quelque chose qui est absolument faux: vous pouvez prier pour obtenir n'importe quoi; plus encore, vous pouvez prier pour obtenir ce que vous désirez personnellement.

En fait, il est conseillé de commencer par des biens matériels, des choses simples afin de vous convaincre vous-même du pouvoir de la prière. Il est tout à fait *correct* de prier pour obtenir ce dont vous avez besoin. L'Univers est riche et rempli de tout ce que vous pouvez concevoir. Comme tout est énergie et que celle-ci ne se perd jamais, vous aurez toujours à votre disposition un réservoir inépuisable qui pourra satisfaire tous vos besoins.

Le Dr Emmet Fox disait: «La prière transforme les choses. La prière fait survenir les choses bien différemment de ce qui se serait passé si l'on n'avait pas prié. Quelles que soient les difficultés que vous éprouviez et les causes qui les auront suscitées, en priant suffisamment, vous vous en sortirez à condition que vous soyez assez persévérant dans votre cri vers Dieu.»

Il existe différents types de prières, dont certains se confondent en quelque sorte avec la notion de pensée positive. Voyons donc, ensemble, les différentes approches qui nous sont proposées.

La prière traditionnelle

La prière traditionnelle est vieille comme le monde. Elle constitue un acte d'humilité puisque, par elle, l'être humain demande l'aide d'une force supérieure. Ce type de prière doit s'accompagner d'une grande foi, car si la personne qui prie ne croit pas en ce qu'elle dit, en ce qu'elle fait, elle n'obtiendra aucun résultat, ou très peu. Si elle ne se sent pas digne d'être aidée, là non plus les résultats ne seront pas concluants.

J'utilise ici le terme *traditionnel* pour faire la différence avec ce que la nouvelle tendance qualifie de *prière scientifique*. Si vous vous demandez quel type de prière est le plus efficace, laissez-moi vous dire que le type le plus efficace sera celui avec lequel vous vous sentirez le plus en confiance. Si vous avez des croyances établies, si vous pratiquez une religion, vous pouvez utiliser les prières qui vous sont familières. L'important est de vous sentir à l'aise, de croire et d'avoir confiance.

La prière traditionnelle est donc basée sur l'aide qu'on demande à une force ou à une entité qu'on considère plus grande et plus forte que soi. Ce type de prière est probablement le plus ancien qui soit; il date de cette époque où l'homme se sentait insignifiant devant la force et la fureur des éléments qui l'entouraient.

Toutes les religions possèdent un vaste répertoire de prières servant à un usage ou à un autre. Quelle que soit votre religion, il existe très certainement une ou des prières qui vous conviendront. Vous pouvez les utiliser, à la condition, bien sûr, de croire en ce que vous dites, en ces paroles que vous prononcez. Il est évident que si ce n'est pas le cas, vous n'obtiendrez pas les résultats escomptés, car la prière doit être accompagnée de la foi, comme le mentionnait le Christ dans les Évangiles. Cette règle s'applique à toutes les religions sans exception: croire en ces mots qu'on récite.

Dans les confessions chrétiennes, le Notre Père est considéré comme la prière la plus sacrée; dans les temps anciens, on croyait d'ailleurs que c'était une prière toute-puissante. Lorsque vous répétez cette invocation à plusieurs reprises, vous sentez en vous une force spirituelle très forte. Le Om Mane Padme Om bouddhiste est une invocation qui élève aussi le niveau spirituel de quiconque le récite. On pourrait en citer une multitude d'autres dans d'autres religions, mais ces deux exemples suffisent pour vous faire comprendre que les prières qui existent déjà peuvent vous aider à obtenir ce que vous désirez.

Une autre façon, plus simple encore, de prier est d'invoquer le nom de la déité que vous vénérez. Par exemple, Jésus-Christ ou Yahvé pour les chrétiens; Bouddha pour ceux qui pratiquent le bouddhisme; Allah pour les musulmans, la grande Déesse pour les wiccans, etc. Vous n'avez qu'à invoquer, à voix haute ou basse, la déité en laquelle vous croyez, si vous êtes convaincu qu'elle vous viendra en aide.

Invoquer et répéter le nom de votre dieu plusieurs fois par jour favorisera la création d'une force spirituelle, en vous, qui vous viendra en aide pour résoudre vos problèmes, pour susciter les idées ainsi que pour vous aider à atteindre le bonheur et la prospérité. Vous pouvez aussi imaginer que votre dieu prend soin de vous, qu'il se tient à vos côtés pour éloigner les influences négatives et pour favoriser vos entreprises.

L'important, c'est de croire et d'avoir confiance.

QUOI? POURQUOI?

On peut affirmer — n'en déplaise à certains traditionalistes — que la prière traditionnelle peut servir à tous vos besoins. Si vous faites des recherches, vous vous rendrez compte que, par exemple, des gens ont prié pour obtenir la guérison d'un proche et que celle-ci fut accordée, au grand étonnement des médecins qui pensaient parfois même leur patient perdu.

Le plus souvent, ces prières sont un acte de foi pur et simple et une invocation pour rendre grâce d'avoir été exaucé, avant même d'avoir obtenu ce qui est demandé. En plaçant votre confiance en Dieu et en croyant qu'il vous exaucera, vous obtenez ainsi l'aide demandée.

Il peut aussi arriver que vous obteniez quelque chose d'autre en priant de cette façon. De fait, lorsque vous priez Dieu, ou n'importe quel être supérieur, vous ne pouvez poser de condition, comme nous l'avons appris dans nos prières; la stipulation «Que ta Volonté soit faite» n'est pas sans effet. Vous devez vous en remettre à une intelligence supérieure qui sait ce qui est bon pour vous et qui vous donnera ce dont vous avez vraiment besoin.

Il est très important de vous rappeler que lorsque vous avez prié pour demander quelque chose, vous devez cesser par la suite d'y penser. Vous devez abandonner votre problème dans les mains de l'Être suprême; vous devez avoir confiance et cesser de vous inquiéter à ce sujet. C'est souvent ce qui est le plus difficile dans la prière, mais qui est néanmoins essentiel.

Vous ne pouvez poser de condition ni continuer à vous inquiéter à ce sujet. Vous devez faire confiance et vous abandonner entre les mains de ce dieu que vous avez prié.

La prière de libération

Voilà un type de prière largement méconnu! Pourtant, il s'avère très utile afin d'*effacer* quelque chose, de se libérer de ces situations insoutenables qui nous accablent parfois. Cette forme de prière de libération, ou de refus, nous vient de l'Égypte ancienne, qui refusait l'iniquité en y opposant la puissance du refus. Les Égyptiens de cette époque refusaient de croire que leurs dieux puissent vouloir autre chose que la prospérité pour eux. Au cœur de leurs convictions se trouvait donc l'assurance que les dieux étaient de leur côté et qu'il était juste et bon, pour eux, d'obtenir de la vie ce qu'elle a de meilleur.

Les prières de libération servaient à rétablir l'équilibre lorsque survenaient des situations inopportunes ou que le malheur s'acharnait sur eux. Les Égyptiens avaient confiance dans le fait que leurs dieux les aideraient à retrouver le bonheur et la prospérité, qu'ils considéraient comme un droit inaliénable. Toute leur philosophie était d'ailleurs basée sur cet axiome: les dieux voulaient leur bien.

Dans cette perspective, il était donc acceptable que ces gens refusent les situations qui ne leur convenaient pas, comme ce fut aussi le cas pour les Romains et, bien avant eux, pour les Grecs, contrairement à ce qui se passait dans d'autres systèmes religieux, où l'on prêchait l'acceptation de la souffrance et de la pauvreté.

Les prières de libération vous permettent de refuser des situations qui ne vous conviennent pas, qui ne sont pas satisfaisantes ou qui ne vous apportent que du chagrin. En priant de cette façon, vous dites non, vous rejetez les actions qui vous incitent à cultiver des pensées négatives et vous empêchent de profiter pleinement de la vie. Elles vous permettent aussi de vous libérer de ce qui ne vous convient plus dans votre vie et de faire place à autre chose qui est meilleur pour vous.

Voici un exemple qui vous donnera une idée concrète de ce à quoi ressemble une prière de libération.

Imaginez, pour les besoins de cet exemple, que vous dénoncez ce qui vous empêche d'évoluer, de vous réaliser. La prière devrait donc ainsi se formuler: «L'expérience X (vous la nommez et la décrivez) ne me convient pas; je refuse de croire qu'elle est juste, nécessaire ou bénéfique. Je refuse d'accepter les choses telles qu'elles sont. Je suis un enfant de Dieu (ou de l'Univers, selon vos préférences) et je n'accepte que ce qu'il y a de bon pour moi dans l'Univers.»

En répétant cette prière, vous refusez en quelque sorte les choses négatives et invitez les choses positives à se manifester dans votre vie; vous libérez votre âme de la servitude au négatif et vous ouvrez votre cœur afin de recevoir ce qui est beau et bon, car l'Univers est effectivement rempli de bonnes choses, de belles expériences et vous y avez droit.

Une fois que vous avez rejeté le négatif, vous devez cependant donner une nouvelle direction à vos pensées et demander ce que vous voulez obtenir, car il ne suffit pas, ici, de nier et de rejeter; il faut aussi donner une nouvelle direction.

Après avoir rejeté ce qui ne fait pas votre affaire, vous devez donc indiquer la direction vers laquelle vous désirez vous diriger.

Après les quelques lignes, comme celles données en exemple, vous ajouterez donc: «J'aimerais que cette situation soit remplacée par quelque chose de mieux.»

Comme vous pouvez le remarquer, nous laissons une porte ouverte dans la partie affirmative de la prière, en disant que nous souhaitions *quelque chose de mieux*, sans préciser ce qu'est ce «mieux». La raison en est simple: comme nous ne sommes pas omnipotents, il est fort possible, pour ne pas dire probable, que notre perception des choses soit fragmentaire. Il peut donc exister une foule d'occasions que nous ne pouvons voir ou que nous ne pouvons imaginer et qui seraient bénéfiques pour nous.

Lorsque vous *dirigez* votre demande, il est essentiel de ne pas ériger de barrières ni d'établir de limites; c'est la raison pour laquelle je vous invite à terminer celle-ci avec ce *quelque chose de mieux*, laissant ainsi à Dieu ou aux forces de l'Univers l'option de vous combler de façon inimaginable à votre entendement.

L'énergie, qu'elle soit divine ou non, est là; elle vous entoure, mais la façon dont elle se manifestera est imprévisible. Ne limitez donc pas votre bonne fortune en posant des conditions sévères qui peuvent invalider votre demande. En ajoutant *quelque chose de mieux*, vous ouvrez la porte à toutes les richesses de l'Univers. Il serait un peu inconséquent de fermer la porte à une prospérité plus grande!

Un autre aspect très avantageux de la prière de libération est que celle-ci chasse vos inquiétudes, vos peurs et votre stress. En fait, cette prière est tout à fait recommandée pour anéantir toutes les pensées et les influences négatives de votre vie, qu'il s'agisse de maladie, de chagrin, de perte ou de n'importe quel autre événement responsable de votre inquiétude. Elle vous donne le pouvoir d'affirmer que vous avez droit à ce qui est beau et bon dans la vie.

Elle vous permet également d'affirmer avec conviction que rien ne peut s'opposer à ce qu'il se concrétise quelque chose de bon dans votre vie. Combien de gens passent leur existence à craindre que quelqu'un viendra les empêcher de profiter des bonnes choses, que quelqu'un viendra gâcher leur plaisir? Toutes ces personnes se sentent à la merci des autres et, du fait même, ouvrent la porte à ce genre de comportement à leur égard.

Pour dissiper ces craintes, vous n'avez qu'à réciter une petite prière de libération qui refuse la pensée en question et affirme votre droit à ce qui est bon et beau. Vous remarquerez alors que les autres cesseront de tourner autour de vous comme des vautours et que les circonstances de votre existence changeront pour le mieux. En refusant le malheur et en affirmant votre droit au bonheur, vous sortirez victorieux de la bataille contre la peur. Certes, il est essentiel que vous maîtrisiez votre problème, mais, avant de le faire, vous devez dissoudre vos craintes afin que le problème cesse de contrôler votre vie. Une fois que vous prenez conscience clairement que *vous* n'êtes pas votre problème, la solution s'offrira à vous, simplement.

REFUSER LE MALHEUR

Il faut également apprendre à dire non au malheur. Ce n'est pas toujours facile, surtout si votre éducation s'est faite à partir de notions judéo-chrétiennes vantant l'acceptation du malheur et du chagrin. Il n'y a rien de glorieux, contrairement à ce que certains ont tenté de nous faire croire, à vivre dans la souffrance et la privauté. Si vous courbez l'échine face au malheur et le supportez en silence, c'est probablement ce que vous connaîtrez et vivrez tout au long de votre existence.

Vous devez donc vous convaincre d'une réalité primordiale: il n'existe pas, dans l'Univers, d'absence de vie, d'intelligence; par conséquent, dans toutes les situations, dans toute votre existence, le potentiel de manifestation de la vie et de l'intelligence existe. Une fois convaincu de ce théorème, vous arriverez à dissoudre vos craintes, votre confusion, vos malaises et autres problèmes de santé, et même vos problèmes financiers, car vous arriverez à trouver la solution qui s'impose.

REFUSER LE NÉGATIF

Vous devez constamment vous garder de ce que vous ne voulez pas dans votre vie; vous devez faire un effort conscient afin de ne pas vous attirer le malheur. Vous devez refuser de tomber dans le piège des pensées négatives; d'ailleurs, en toute logique, elles ne peuvent survivre si vous n'en parlez pas. Par conséquent, au lieu de leur donner de l'importance en en parlant constamment, lorsque celles-ci vous viennent à l'esprit ou qu'elles sont le sujet de conversation, vous n'avez qu'à dire: «Je refuse que cette situation soit permanente ou nécessaire» ou une autre phrase du genre.

Il ne s'agit pas de nier l'existence de la situation ou du problème, mais plutôt de le désamorcer en lui donnant un statut peu important et temporaire. Dans les situations où vous êtes entouré de gens qui choisissent de n'aborder que des sujets négatifs, il ne sert à rien de tenter de les faire changer d'avis; dites-vous, simplement et silencieusement dans votre tête, «Je refuse d'entendre ce genre de conversation, je n'accepte pas que ceci soit nécessaire». Vous verrez, vous aurez bientôt une occasion de changer le sujet.

Vous devez aussi apprendre à ne pas tolérer les événements désagréables qui surviennent dans votre vie. Cela ne veut pas dire — attention! — qu'ils ne se produiront jamais; par contre, cela signifie qu'au lieu de tenir le rôle de la victime, vous allez vous servir du pouvoir de la prière afin de vous libérer le plus rapidement possible de cette situation au lieu de vous y complaire en la supportant et en entretenant des pensées négatives qui vous empêchent de vous en extirper.

Voici un exemple: lorsque vous êtes face à une situation désagréable, vous pouvez répéter: «Non, je ne suis pas obligé d'accepter cette situation. Dieu (ou l'Univers, ou quelque puissance que vous désirez invoquer) dissout et élimine le négatif dans mon environnement. Je n'ai peur d'aucune situation, car l'esprit de Dieu (ou de l'Univers, ou de quelque puissance que vous désirez invoquer) est avec moi, m'appuyant et me soutenant, m'aidant à corriger toute chose dans ma vie.»

Ce qui se produit alors, c'est que vous apprenez, d'une part, à contrôler mentalement la situation et, d'autre part, à la juguler sur le plan émotif. Bref, vous refusez de vous laisser contrôler par celle-ci.

Une fois que vous reprenez les guides, vous êtes ouvert aux possibilités qui s'offrent à vous et, surtout, vous êtes à même de percevoir les solutions qui s'imposent.

LA PRIÈRE D'AFFIRMATION

Comme son nom l'indique, cette prière a pour but d'affirmer quelque chose de positif dans votre vie. Il s'agit, en fait, d'une prière générale qu'il est tout indiqué d'adjoindre à une prière de libération — c'est d'ailleurs la raison pour laquelle nous ajoutons ces quelques lignes ici.

Le chapitre consacré aux affirmations contient des *recettes* et des invocations qui peuvent vous être utiles, mais, dans ce cas-ci, il est préférable d'affirmer tout simplement ce dont vous avez besoin, tout de suite après avoir énoncé ce que vous ne vouliez plus dans votre vie.

Cette prière vous aidera à matérialiser une nouvelle situation dans votre existence, que cela soit un nouveau travail, une nouvelle maison, des biens, de la richesse, etc. En fait, il s'agit d'affirmations que vous répéterez lorsque vous voudrez obtenir quelque chose. Comme je l'ai mentionné précédemment, ces affirmations vous aideront à remplacer ce que vous refusez par ce que vous désirez.

La prière contemplative

C'est souvent dans le silence de la contemplation (ou de la méditation) que nous sommes le plus en mesure de ressentir le plein pouvoir de Dieu ou de l'Univers.

Contrairement à ce qu'on pourrait croire, la méthode est simple. Pas besoin de grande théorie de méditation, pas besoin de mantras spéciaux, non, rien de cela; il vous suffit de vous retirer dans un endroit confortable et de choisir quelques mots qui possèdent une signification particulière pour vous et d'y réfléchir. Imprégnez-vous de ces mots; chassez toutes les autres pensées de votre esprit en vous concentrant uniquement sur eux. Faites-en le centre de votre univers pour le temps que vous consacrez à cette contemplation méditative.

Lorsque d'autres pensées importunes vous viennent à l'esprit, récitez vos mots comme une litanie afin d'emplir votre conscience de ceux-ci. Les autres pensées seront alors automatiquement chassées. Laissez-vous baigner par ces mots et faites-les croître dans votre conscience. Petit à petit, vous allez développer des idées autour de ces mots. Continuez jusqu'à ce que vous soyez habité d'une certitude paisible. Vous aurez, à ce moment-là, l'assurance que tout ira bien et que vous pouvez obtenir ce que vous désirez, car vous serez en parfaite harmonie avec les forces de l'Univers qui feront tout en leur pouvoir afin de vous conduire au résultat désiré.

Oubliez toutes les idées préconçues que vous avez à l'endroit de la méditation. Ne gardez à l'esprit que le fait que méditer signifie simplement considérer profondément et continuellement quelque chose. Pas besoin de passer de longues heures en contemplation; une vingtaine de minutes sont souvent suffisantes pour vous calmer et pour faire le lien avec Dieu ou avec l'Univers.

Lorsque vous vous livrez à cette contemplation méditative, vous vous concentrerez sur la solution au lieu de penser à vos problèmes, aux limites que vous vous êtes fixées, consciemment ou non — et que vous n'avez pas. Vous ne perdez donc pas votre temps à combattre le problème, mais plutôt à ouvrir votre esprit aux solutions qui existent. Ce faisant, vous vous donnez l'occasion de gagner des connaissances, d'expérimenter de nouvelles choses et vous devenez plus fort pour affronter les inconnus qui surviennent dans votre quotidien.

Ce moment de calme vous permet de vaincre les obstacles et de transformer votre angoisse en sentiment positif, car en appelant Dieu ou les forces de l'Univers à votre aide, vous en sentirez la présence, laquelle vous apportera un bien-être difficilement descriptible, mais qui apaisera vos craintes et vos peurs, vous faisant oublier, du coup, toutes les petites vicissitudes quotidiennes.

Nous avons fait le tour des quatre grandes catégories de prières connues, mais c'est à vous de choisir le type qui convient le mieux à votre problème. Il n'existe pas de limite; vous pouvez les intégrer les unes aux autres ou tout simplement créer votre propre type de prière, et le résultat sera le même. Il existe également d'excellents ouvrages sur la contemplation et la méditation qu'il vous sera facile de vous procurer si vous décidez que cette forme de prière vous convient le mieux.

La prière scientifique

Nous entrons ici dans un domaine nouveau qui fonctionne avec les affirmations et se sert de nos ressources personnelles afin de nous permettre d'acquérir ce que nous voulons. Le terme *prière* est utilisé dans le sens le plus large du terme, car il ne s'agit pas d'un *appel* pour demander l'aide d'une force ou d'une puissance extérieure comme c'est le cas dans la prière traditionnelle. C'est le nouveau type de prière à la mode, si l'on peut s'exprimer ainsi.

La différence avec la prière traditionnelle, c'est que la prière scientifique fait appel à nos propres ressources. C'est un appel à nos forces intérieures qui s'adresse directement à notre subconscient. En fait, ce qu'on nomme «prière scientifique», c'est la façon de donner des ordres à notre subconscient afin que celui-ci mette en œuvre ses prodigieuses ressources pour que nous atteignions le but que nous nous sommes fixé, ou obtenions ce que nous souhaitons.

En ce sens, la prière scientifique est un acte de foi en notre pouvoir personnel; c'est aussi la façon la plus sûre de faire travailler les affirmations pour nous. Cela dit, pour bien se servir de la prière scientifique, il faut comprendre les éléments qui entrent en jeu; autrement, on risque fort d'être déçu et de faire partie des gens qui affirment que la pensée positive ne fonctionne pas.

C'est en apprenant à maîtriser les notions qui suivent que vous arriverez à prier d'une manière efficace, que vous obtiendrez des résultats qui vous surprendront et connaîtrez une prospérité comme vous n'auriez jamais osé l'imaginer.

LE SUBCONSCIENT

Que vous soyez un homme ou une femme, le cerveau est essentiellement le même. Sans entrer dans les détails, on peut dire que l'esprit est composé de deux parties: le conscient et le subconscient. Certains auteurs parlent aussi du superconscient, mais nous n'aborderons pas, ici, cet aspect puisqu'il n'intervient pas dans le processus auquel nous nous intéressons.

Le conscient représente notre faculté de raisonner, de penser, de rationaliser et d'intellectualiser; c'est la partie alerte de notre esprit, celle qui parle et pense volontairement. C'est aussi la partie qui régit nos décisions quotidiennes et qui gère le rôle que nous jouons en société.

Le subconscient, lui, c'est la partie inconsciente de notre esprit; c'est aussi la partie la plus méconnue, mais la plus importante. Le subconscient nous permet de rester en vie; c'est grâce à lui, par exemple, que nous n'avons pas à penser consciemment chaque fois que nous respirons, que nous n'avons pas à nous soucier du flot de sang qui circule dans notre organisme.

La même chose prévaut pour toutes les fonctions naturelles de nos organes. En effet, le subconscient est responsable des mécanismes de notre corps, de voir à ce que le cœur batte, à ce que les poumons respirent, à ce qu'une blessure guérisse sans efforts conscients; bref, c'est lui qui nous maintient en santé.

Imaginez si nous devions penser constamment à demander à notre cœur de battre, à notre estomac de digérer les aliments, à notre vessie de débarrasser notre sang de ses toxines, et ainsi de suite. Nous n'en finirions plus! Cette seule fonction nous permet de saisir l'importance et le pouvoir de notre subconscient.

Cela dit, le rôle de notre subconscient ne s'arrête pas là. Il est aussi le siège de notre mémoire lointaine, voire ancestrale, de nos réflexes et de nos comportements instinctifs, de nos émotions. Lorsqu'il nous arrive de vivre un traumatisme, l'image de celui-ci s'imprègne dans notre subconscient et ce dernier peut nous le faire revivre intensément à n'importe quel moment. Vous n'avez qu'à observer ce qui se passe chez les victimes d'une grande catastrophe, d'un incendie ou même d'un accident d'automobile; il suffit parfois d'un simple détail pour qu'elles revivent les événements malheureux auxquels elles ont participé, et cela, indépendamment qu'il date d'hier ou d'il y a vingt ans.

Les gens souffrant de ce syndrome se sentent littéralement transportés dans le temps et l'espace pour revivre les pires horreurs qu'ils ont vécues. Certes, c'est un exemple extrême. Plus près de nous et à un degré moindre, il est d'autres personnes, beaucoup plus nombreuses qu'on ne se l'imagine, qui ont à composer avec de semblables situations.

C'est également dans notre subconscient que réside la connaissance et que provient l'intuition; il est aussi responsable de nos rêves qui sont des images symboliques. Car, élément important, notre subconscient ne peut communiquer directement avec nous lorsque notre conscient est en éveil; ce n'est que durant notre période de repos qu'il nous fait parvenir des messages que, plus souvent qu'autrement, nous ne parvenons pas à déchiffrer.

Le conscient, lui, joue un rôle de premier plan dans nos vies; c'est l'outil qui nous permet de penser, de parler, d'avoir des contacts avec les autres. Comme le conscient est aussi le siège de notre ego, il lui est difficile de reconnaître l'importance du subconscient qui, après tout, lui apparaît comme une masse informe de symboles et d'émotions. Le conscient argumente, discute et cogite; par conséquent, il lui est impossible de communiquer de façon ordinaire avec le subconscient qui ne discute pas, mais a tendance à tout prendre au pied de la lettre. Pour le conscient, c'est alors plus simple de laisser de côté les possibilités de communication avec sa contrepartie subconsciente au profit d'analyses et de recherches qui lui apparaissent beaucoup plus intéressantes. Mais c'est une grave erreur, car notre subconscient peut garder en lui des notions qui empêchent le conscient d'atteindre ses buts.

Voici comment les deux fonctionnent.

Essentiellement, ces deux parties de notre esprit n'ont rien en commun... si ce n'est qu'elles occupent toutes deux le même corps! Le conscient veut comprendre, disséquer, savoir *comment* cela fonctionne, alors que le subconscient produit, emmagasine l'information dans sa mémoire et la transmet sous forme symbolique; le conscient utilise des mots, alors que le subconscient utilise des images. *Une image vaut mille mots,* dit le proverbe et, dans l'utilisation qu'en fait le subconscient, il n'y a rien de plus vrai, lui qui est capable, à des années et des années d'écart, de nous retransmettre au moment propice l'image qui convient à la situation. Il suffit simplement, en fait, d'une stimulation adéquate.

Il s'agit donc d'une «ressource» d'une valeur inestimable, à la condition de savoir comment en tirer profit. La solution réside dans une approche scientifique de la prière. Il n'est pas dans mon intention ou dans mes propos de promouvoir une religion plutôt qu'une autre; je reconnais d'ailleurs que toutes les religions existantes possèdent cet atout en commun: la prière.

La prière implique la foi en l'existence d'une solution, car la réponse à la prière provient de notre subconscient, lequel a reçu la *demande*, l'interprète correctement et ainsi cherche à concrétiser l'objectif souhaité — après tout, une prière «accordée» (comme le disaient nos parents) est la réalisation d'un désir.

Néanmoins, le pouvoir de notre subconscient existe et existait bien avant nous; ce pouvoir transcende les religions et les croyances. C'est dans cet esprit que je vous invite à lire les pages qui suivent afin de comprendre et de connaître les processus qui vous permettront d'avoir accès à votre subconscient et libéreront complètement votre intuition.

LE MODE DE FONCTIONNEMENT

Votre subconscient, comme je l'ai déjà dit, n'analyse pas, ne pense pas, ne rationalise pas; il se contente simplement de croire. Si vous *croyez* que votre pensée agit ou agira d'une certaine façon, il est d'ores et déjà assuré qu'elle agira ainsi.

Il est donc important, voire essentiel, de prendre conscience que ce n'est pas la croyance qui importe, mais plutôt le fait que votre subconscient *croit en vos croyances*, celles que votre conscient génère. La croyance en elle-même n'a aucune importance, en raison même du fait que le subconscient n'analyse pas et ne justifie pas.

Dans cette perspective — et dans les faits —, vos croyances ont peu, sinon rien, à voir avec ce qui est possible ou impossible. Changez vos croyances et vous changerez votre condition, condition essentielle, comme je l'ai dit et répété, pour transformer votre vie. C'est à la fois simple et complexe; simple, parce que l'énoncé l'est; complexe, parce qu'il faut remplacer ses croyances habituelles par d'autres.

Pour nous permettre une analogie facile à comprendre, imaginez que vous êtes un jardinier qui plante des graines (des pensées) dans un sol (le subconscient); vous finirez donc par récolter ce que vous semez. Autrement dit, si vos pensées se concentrent sur la privauté, le besoin, c'est exactement ce que vous connaîtrez. Redisons-le: le subconscient ne cherche pas midi à quatorze heures: il reçoit l'impression, l'assume et la matérialise.

Lorsque votre esprit fonctionne adéquatement, correctement, lorsque vous nourrissez des pensées harmonieuses, constructives et joyeuses au niveau de votre subconscient, celui-ci répond en les reproduisant, vous permettant ainsi de vivre dans des conditions harmonieuses où vous pouvez acquérir ce qu'il y a de mieux.

Tout est donc possible avec votre subconscient. Il suffit de le programmer correctement, de faire des demandes qu'il comprend, et il s'efforcera de réaliser l'impossible pour vous.

Alors, me direz-vous, si c'est si simple, pourquoi tout le monde ne le fait-il pas? La réponse est (malheureusement) tout aussi simple: il ne s'agit pas d'une recette miracle qui résout tous les problèmes en quelques heures; il faut mettre en pratique les techniques d'affirmations, telles qu'expliquées précédemment dans ce livre. Et il faut... persévérer.

Vous devez travailler consciemment contre des années de conditionnement et de mauvaise programmation subconsciente; vous devez apprendre à penser différemment et à vous faire confiance; votre conscient doit également apprendre à faire confiance à un subconscient qui ne raisonne pas et c'est là où c'est un peu difficile, car... le conscient aime avoir raison!

CONVAINCRE LE SUBCONSCIENT

Pour que votre subconscient matérialise vos désirs, il doit en recevoir l'ordre du conscient; il est donc tout indiqué d'apprendre à votre conscient à communiquer positivement avec votre subconscient. Parce qu'il a lui-même des outils de déduction incomparables, il peut contribuer à la réalisation de tous vos désirs. Cependant, pour unir les forces du conscient à celles du subconscient, vous devez en quelque sorte apprendre à traduire vos désirs et vos croyances en images mentales, lesquelles pourront être décryptées clairement par le subconscient. Vous devez, en fait, jouer le rôle d'un ingénieur de l'esprit en utilisant des techniques mentales, comme la prière scientifique, pour obtenir et pour réaliser vos objectifs.

Vous devez vous débarrasser à tout jamais de la culpabilité et ne pas hésiter à utiliser la puissance de votre esprit pour obtenir ce que vous désirez. Il n'y a aucun mal à se servir de son subconscient pour trouver une solution à un problème, pour atteindre le bonheur ou pour acquérir la prospérité; c'est une partie de vous, au même titre que vos bras et vos jambes. De plus, si vous vous sentez coupable, vous n'arriverez pas à réaliser quoi que ce soit.

Comme je l'ai souligné précédemment, une image mentale vaut mille mots. Votre subconscient est sensible aux images beaucoup plus qu'aux grands discours ou aux justifications. N'en faites donc pas trop!

Pour prier efficacement, singulièrement, il faut éviter de le faire avec trop de vigueur. Détendez-vous et laissez doucement émerger votre demande, idéalement juste avant de sombrer dans le sommeil, car c'est là le meilleur temps, du fait que le conscient est sur le point de se mettre au repos; il n'argumente pas trop et vous pouvez ainsi faire passer le message plus efficacement et plus rapidement.

Demandez simplement et directement ce que vous désirez, visualisez votre souhait en esprit et laissez-vous aller. Ayez du plaisir lorsque vous implantez de nouvelles commandes à votre subconscient. Vous ne devez pas considérer cela comme un effort, moins encore comme une bagarre. Le résultat vous surprendra, car le subconscient n'est pas un employé (ou un patron!) qui grogne: il veut tout simplement ce que vous désirez, mais encore doit-il savoir clairement l'objet de cette demande.

Il faut d'abord que vous compreniez que ce que vous considérez comme vrai, comme réel, est déjà quelque chose en voie de réalisation. Dans le même sens, vous ne pouvez obtenir quelque chose que vous considérez comme irréalisable ou impossible. Si vous désirez changer vos perceptions de ce qui est possible ou non, faites de la recherche, cherchez où se situe votre blocage et changez vos croyances. En changeant ce que vous croyez, vous pourrez obtenir ce que vous désirez. Mais, attention! vous devez vraiment les changer, ces croyances...

Votre subconscient est au travail 24 heures par jour, il n'arrête jamais. La preuve en est que vous respirez même pendant votre sommeil; que toutes vos fonctions organiques continuent, que vous soyez conscient ou non.

Ce qui bloque votre subconscient et l'empêche de fonctionner dans le sens de vos désirs, ce sont uniquement vos pensées négatives, lesquelles, à force d'être répétées, deviennent des actes de foi. Votre subconscient est alors convaincu qu'il est dans votre nature d'être malheureux, malade ou pauvre.

Ce n'est pas une pauvre petite pensée positive ou une prière scientifique de dix ou de quinze minutes qui arriveront à traverser la vague de pensées négatives qui va et vient sans cesse en vous. Avant de pouvoir obtenir ce que vous désirez, vous devez extirper les pensées négatives de votre subconscient et, ensuite, littéralement, le submerger de prières scientifiques et de pensées positives.

Faites attention à ce que vous pensez, car les pensées qui se manifesteront seront directement envoyées à votre plexus solaire, qui est le siège de votre volonté, et il pourra parfois arriver que vous en ressentiez un effet physique. Que la pensée soit de nature bénéfique ou non, elle agit au niveau de votre subconscient, qui fera tout pour la déployer d'une façon ou d'une autre.

Par ailleurs, lorsque vous faites une demande à votre subconscient et que vous obtenez une réaction physique en guise de réponse, vous devez savoir que le processus est en marche, voire que votre désir est en voie de se concrétiser.

LE BUT: RÉGLER UNE SITUATION

Comme on peut le remarquer, tout est question d'attitude sur le plan de la prière scientifique, en ce sens que vous devez convaincre votre conscient que ce que vous croyez est juste et bon pour que vos pensées subconscientes s'ajustent à celles-ci. Cela dit, vous pouvez aussi vous servir d'affirmations, comme on s'en sert dans la visualisation créative.

Vous devrez cependant garder à l'esprit que le subconscient est à la base de toutes les grandes découvertes de l'humanité. Comme je l'ai déjà mentionné, l'imagination émane du subconscient. Léonard de Vinci avait dessiné ce qui ressemble fortement à un prototype de sous-marin; pourtant, il a vécu au cours de la Renaissance italienne, voilà plusieurs siècles; Jules Verne, dans un de ses livres écrit des décennies avant la réalisation de l'exploit, décrit une fusée qui se pose sur la lune. Et ce ne sont là que deux exemples pour illustrer mon propos, car il en existe des dizaines, voire des centaines.

Ce qui revient à dire que lorsque vous vous concentrez sur un problème, vous permettez à votre subconscient d'amasser les informations nécessaires à la découverte de la solution. Pour cela, toutefois, vous ne devez pas vous inquiéter au sujet du problème, ou encore fixer des conditions quant à sa résolution.

Vous devez aussi garder à l'esprit que vous ne recevez pas toujours la réponse au bout de quelques heures; il faut parfois plus d'une nuit pour que votre subconscient découvre la réponse à vos questions ou la solution à vos problèmes, mais il importe néanmoins de souligner que vous pouvez créer des retards inutiles en pensant que la réponse prendra une longue période de temps à venir. On le voit, le chemin de la solution est parsemé d'embûches — mais il existe. Vous devez cependant toujours garder confiance, car c'est le manque de confiance qui stoppe le processus naturel de résolution de vos problèmes.

Si, à un certain niveau, vous êtes sûr de ne pouvoir résoudre ce problème ou obtenir la réponse à une question, tous les messages adressés à votre subconscient iront dans ce sens. Par ailleurs, si vous êtes convaincu de ne pouvoir réaliser un projet ou trouver une solution à un problème, vous ne serez pas à même de déchiffrer les images envoyées par votre subconscient.

Bref, en un mot comme en cent, une fois la prière exprimée, une fois les pensées engendrées, vous devez en quelque sorte vous détendre et penser à autre chose, car si vous continuez à vous préoccuper du problème, vous faites ni plus ni moins appel à votre conscient pour sa résolution, et comme il est fort possible qu'il n'entrevoie pas de solution, tout au moins dans l'immédiat, vous risquez fort de vous laisser envahir par des idées noires. Ce faisant, vous donnerez des ordres contradictoires à votre subconscient, qui prend tout au pied de la lettre. Tous vos efforts et vos bonnes résolutions n'auront servi à rien.

Certes, ce n'est pas nécessairement facile, mais c'est ce qu'il convient de faire. Ayez simplement confiance dans le pouvoir de votre subconscient.

Lorsque vous lui adressez une pensée, c'est un peu comme si vous lanciez un caillou dans l'eau: au moment de l'impact, le caillou provoque des cercles concentriques; l'idée que vous avez lancée provoquera le même genre de réaction au niveau du subconscient.

Vous vous demandez, non sans raison, quel genre de réponse vous recevrez. Cette réponse apparaîtra probablement comme quelque chose que vous avez toujours su; vous risquez même d'être étonné de ne pas y avoir pensé avant...

AUTRES TECHNIQUES

Utiliser la créativité pour renforcer la pensée

Comme je l'ai mentionné plusieurs fois au cours de cet ouvrage, vous devez d'abord concevoir ce que vous désirez. La visualisation, aussi appelée visualisation créative — méthode largement répandue depuis une dizaine d'années — est probablement l'exercice qui convient le mieux pour ce faire.

Mais qu'est-ce exactement que la visualisation créative? Même si l'on en parle beaucoup, l'explication peut parfois sembler compliquée ou nébuleuse. Or il n'en est rien. Il s'agit tout simplement d'une façon de communiquer avec son subconscient dans un langage qu'il comprend implicitement: les images. Pourquoi les images? Comme nous le savons, et comme nous l'avons dit à nombre de reprises au fil des pages de cet ouvrage, le subconscient n'utilise pas de mots pour s'exprimer; il se sert d'images, de symboles et parfois même d'émotions. Par conséquent, il est normal de communiquer avec lui dans un langage qu'il comprendra, sinon c'est peine perdue.

La visualisation créative est donc un processus relativement simple qui consiste à vous créer des images mentales que vous projetez ensuite dans votre esprit, pour qu'elles soient captées par votre subconscient. La technique, elle aussi, est relativement simple. Vous devez d'abord commencer par vous détendre, faire abstraction des bruits, extérieurs tout autant qu'intérieurs. Lorsqu'on parle de bruits *intérieurs*, on se réfère naturellement à vos pensées, à la voix de votre esprit conscient qui cherche à interférer en faisant tout à coup surgir une multitude de sujets ou de préoccupations qui n'ont, bien sûr, rien à voir avec ce que vous voulez réaliser.

La première chose est donc de faire taire cette voix. Comment? Non pas en lui disant de se taire, mais en ignorant ce babillage. Chaque fois qu'une pensée intervient et cherche à vous distraire, mettez-la d'emblée de côté pour retourner à votre méditation. Ne vous impatientez pas, c'est inutile, et ne répondez pas à ces pensées parce qu'une fois que vous commencez à tenir un tel dialogue intérieur, vous vous éloignez de votre but, qui est d'imprimer une image dans votre subconscient.

Ce processus s'entame quasi instantanément dès que vous cherchez à faire le vide de votre esprit car, comme le conscient a horreur du vide, il cherche à occuper votre esprit par mille et une pensées plus ou moins utiles. En général, c'est un processus dont nous n'avons pas vraiment conscience parce que nous sommes occupés à autre chose. Il en va toutefois tout autrement lorsque nous nous détendons et que nous tentons de faire le vide, car, alors, le conscient panique et cherche à attirer notre attention.

La seule façon de répondre à cette invasion et de la repousser, c'est de vous concentrer sur ce que vous faites, c'est-à-dire votre détente, votre respiration, les battements de votre cœur. Vous devez vous concentrer résolument, mais aussi agréablement sur votre relaxation et laisser glisser les pensées comme une vague. Après quelques minutes, cela deviendra plus facile et vous pourrez continuer. Chaque fois qu'une pensée tentera de s'immiscer, vous la laisserez passer sans lui accorder d'importance.

Une fois que vous serez détendu, essayez de voir des couleurs. Vous pouvez vous servir des couleurs de l'arc-en-ciel; imaginez, par exemple, le rouge ou le bleu, jusqu'à ce que cette couleur envahisse votre écran mental et que vous puissiez la voir avec les yeux de votre esprit. Pour vous faciliter la tâche, imaginez un objet de cette couleur, une pomme rouge, un ciel bleu, et ainsi de suite.

Il se peut, au début, que vous ayez de la difficulté à voir les couleurs et les formes. Ne désespérez pas, c'est une question de pratique. Contentez-vous alors d'imaginer ce que vous voulez voir, et la vision viendra d'elle-même.

Une fois que vous maîtriserez les couleurs, vous pourrez imaginer quelque chose, un objet que vous désirez, une situation que vous voulez vivre, un problème que vous voulez résoudre. Vous pourrez alors l'imprimer mentalement dans votre subconscient, afin que celui-ci puisse vous aider à vous procurer cet objet, matérialiser la situation imaginée ou vous donner l'intuition qui vous permettra de résoudre votre problème.

Pour avoir du succès avec ce type d'exercice, je vous recommande de le pratiquer tous les jours. Plus tard, une fois que vous réussirez à visualiser facilement, il vous sera possible d'envoyer des messages instantanés à votre subconscient.

L'AUTOHYPNOSE

Une autre façon de communiquer avec son subconscient est de le faire en état de transe légère, un état où le subconscient est réceptif à nos suggestions et où nous pouvons passer outre aux récriminations de l'esprit conscient.

Il peut être profitable d'agir ainsi, car nous savons tous combien il est difficile de se débarrasser des mauvaises habitudes et d'en acquérir de nouvelles, meilleures. Le principal obstacle dans cette entreprise se situe au niveau de notre esprit conscient, qui argumente, explique, rationalise et intellectualise toutes nos décisions.

Dans le cas d'une mauvaise habitude — prenons celle de fumer, à titre d'exemple —, nous avons beau savoir que c'est une habitude malsaine qui peut causer du tort à notre santé, à l'instant où nous décidons d'arrêter de fumer, toutes les raisons deviennent bonnes pour... ne pas le faire.

Tout cela parce que l'esprit conscient est d'abord une créature d'habitude, parfaitement à l'aise avec nos idées, avec nos croyances, qu'elles soient justes ou non, avec notre style de vie aussi ainsi qu'avec nos préjugés. Si nous décidons de changer une habitude, bonne ou mauvaise, peu importe, nous changeons notre habitude et cela ne plaît pas à notre conscient, qui souhaite par-dessus tout que les choses restent les mêmes.

Pourquoi donc? Parce que notre conscient est responsable de nos croyances.

Si vous croyez qu'un projet est impossible à réaliser ou qu'un objectif est impossible à atteindre, vous ne pourrez effectivement pas le concrétiser. Que cela soit possible n'a rien à voir avec la réalité; votre conscient croit que c'est impossible, alors c'est vrai, simplement. Et tant que vous n'aurez pas changé cette croyance, vous n'arriverez pas à changer la situation.

C'est l'une des raisons qui limitent nos actions et nous empêchent d'atteindre nos objectifs: en quelque part, nous sommes convaincus que nous ne pourrons décrocher l'emploi qui nous fait rêver, apprendre une nouvelle langue ou simplement... arrêter de fumer! C'est cette croyance fondamentale qui bloque la réalisation de nos projets. Et comme le subconscient connaît nos croyances et qu'il livre la marchandise selon la commande, il se refuse à faire ce que nous ne voulons pas *vraiment* faire. Mais dès que nous changeons d'idée ou d'opinion, ne serait-ce que vaguement, que nous modifions légèrement notre attitude par rapport à cette croyance, le subconscient retouche lui aussi son action.

La transe légère et l'autohypnose vous aident à transformer votre attitude en modifiant vos croyances à la source, première et essentielle étape. Ce n'est cependant pas toujours une garantie de succès, parce que, souvent, les tentatives ne durent pas longtemps.

Prenez, par exemple, la décision de cesser de fumer. Vous vous placez en transe légère et vous donnez l'ordre à votre subconscient de vous aider à cesser de fumer. Vous revenez de votre séance d'autohypnose et, pendant quelques jours, tout va effectivement comme sur des roulettes, tant d'ailleurs que vous vous en étonnez. Il se peut même que vous cessiez de fumer complètement. Malheureusement, ce changement peut aussi n'être que temporaire, toujours en raison de nos croyances.

Vous avez sans doute entendu parler du fait qu'on ne peut convaincre quelqu'un contre son gré, même sous hypnose. C'est plus qu'une rumeur, c'est tout à fait vrai. Les techniques fonctionnent, elles sont efficaces, mais leur durée est tributaire de nos croyances personnelles. De là la raison pour laquelle la majorité des personnes qui ont recours à l'hypnose, à l'autohypnose ou à la transe légère n'obtiennent que des résultats momentanés.

Voyons ce qui se passe.

Vous affirmez donc à votre subconscient que vous voulez cesser de fumer (ou n'importe quelle autre suggestion) et il produit le résultat escompté. Mais son effet est de courte durée parce que c'est le conscient qui gère vos croyances. Votre esprit conscient a décidé, une fois pour toutes, que cesser de fumer était impossible, qu'il était dans votre nature de fumer comme une cheminée. Tant et aussi longtemps que votre conscient entretiendra ces croyances, qu'il les tiendra pour légitimes, elles feront force de loi et vous ne pourrez atteindre votre but.

Cela vous paraît un dilemme insoluble? Il n'en est rien. La solution est simple, vous devez harmoniser votre conscient et votre subconscient — de là ces conseils et ces exercices que je vous ai suggérés tout au long de cet ouvrage.

Trucs pour mieux utiliser son esprit

Le conscient intellectualise et le subconscient produit; le conscient choisit et le subconscient livre la marchandise. Voici donc quelques trucs qui pourront vous aider dans les exercices que nous vous avons présentés. Il est entendu que vous pouvez ajouter ceux qui correspondent à vos attentes, à vos besoins ou à vos désirs. Néanmoins, je crois que les exemples qui suivent faciliteront la compréhension du *mode d'emploi.*

• Rappelez-vous toujours que si vous pensez à de bonnes choses, alors de bonnes choses se produiront. En revanche, le contraire est aussi vrai.

• Vous êtes ce que vous pensez. Si vous pensez être fait pour être malheureux, vous le serez; si vous pensez constamment que vous êtes malade, vous le deviendrez. Si vous vous sentez inadapté, vous échouerez partout.

• Gardez à l'esprit que votre subconscient n'argumente jamais. Il accepte simplement et sans justification les idées ou les jugements du conscient, et cela, quels qu'ils soient. Vous pouvez convaincre votre subconscient que la terre est plate, que l'eau donne le cancer ou n'importe quoi d'autre d'aussi insensé. Il s'agit donc de faire attention à ce que vous dites à votre subconscient.

• Comme pour toutes les choses dans votre vie, vous avez le choix. Toute notre existence est basée sur le libre arbitre.Vous avez le pouvoir de choisir, alors pourquoi ne pas choisir le bonheur, la santé et la prospérité?

• Le rôle principal de votre conscient est de préserver l'intégrité de votre subconscient, afin que celui-ci ne soit pas envahi par des impressions fausses ou erronées. Mais — attention! — c'est votre conscient qui choisit la nature même des croyances qu'il juge fondées. Examinez quelles sont vos croyances; distinguez celles qui vous appartiennent en propre. Il arrive souvent que les croyances que nous entretenons proviennent de notre enfance, une époque où nous étions soumis aux diktats de ceux qui veillaient à notre éducation et à notre instruction. Il n'est pas question, ici, de juger de la pertinence de ces croyances ou de faire porter le blâme à qui que ce soit. Par contre, une fois à l'âge adulte, il est aussi normal que vous évaluiez l'importance de ces croyances et que vous vous demandiez si elles répondent à ce que vous cherchez, à ce que vous voulez. Certaines croyances sont fondamentales et leur validité ne fait aucun doute, mais cela n'implique pas de suivre aveuglément les traces de ceux et de celles qui nous ont précédés si nous ne nous sentons pas à l'aise avec celles-ci. Les croyances qui ne sont pas confortées par une foi profonde ne servent strictement à rien; elles peuvent même vous empêcher d'atteindre votre plein potentiel.

• Les suggestions et commentaires des autres n'ont aucun pouvoir sur vous, à moins, bien entendu, que vous n'en décidiez autrement — les autres ne peuvent communiquer avec votre subconscient. Là où ces commentaires peuvent vous causer du tort, c'est lorsque votre esprit conscient les répète mille et une fois jusqu'à ce qu'il parvienne à convaincre votre subconscient que c'est vrai. Il arrive souvent, par exemple, que le manque de confiance provienne de commentaires désobligeants qui vous ont blessé et que vous avez ruminé pendant des mois, voire des années. Un beau jour, ces phrases ont fini par s'incruster dans votre subconscient et sont devenues des croyances qui motivent vos paroles et vos actions; elles sont d'ailleurs parfois tellement bien ancrées que vous n'en êtes même plus conscient et que vous ne gardez aucun souvenir de l'incident qui les a suscitées. Mais votre subconscient, lui, n'a pas oublié et il continue de vous envoyer des images qui tuent toute possibilité dans l'œuf.

• Faites attention à ce que vous dites. Si vous passez votre temps à dire que vous êtes incapable, votre subconscient vous prendra littéralement au mot. Je l'ai dit et répété à satiété: il ne fait pas la différence entre la réalité et l'imaginaire, il croit absolument tout ce que lui raconte le conscient, pour autant que ces mots lui sont souvent répétés. Afin de ne pas l'induire en erreur, au lieu de dire «Je ne peux pas», dites plutôt «Je peux». Communiquez-lui la notion que vous réussissez tout ce que vous entreprenez, et c'est ce qui se produira.

Conclusion

Il n'en tient qu'à vous de transformer votre vie par la pensée positive. C'est un choix personnel qui ne peut qu'augmenter vos espoirs d'une vie productive, tout en vous aidant à trouver le bonheur. C'est une perspective nouvelle qui s'offre à vous pour vous permettre de changer l'orientation de votre vie.

Rappelez-vous l'histoire du verre rempli à moitié; certains diront qu'il est à moitié plein, d'autres à moitié vide. Quelques autres diront qu'à moitié plein ou à moitié vide, le contenu reste même — et c'est vrai. Par contre, la personne qui considère son verre à moitié plein ne désespère pas et n'oriente pas ses pensées vers le manque, alors que celle qui constate que le verre est à moitié vide ne pense bien souvent qu'au moment où le verre ne contiendra plus rien.

Exemple anodin, certes, mais il n'en reste pas moins que cela détermine le cours de vos pensées. Si elles sont constamment orientées vers le manque, si les difficultés se succèdent les unes aux autres dans votre existence et si vous allez d'échec en échec, c'est peut-être ce que votre esprit commande; si vous n'attendez rien de la vie, c'est exactement ce que vous recevrez. Par contre, si votre verre est à moitié plein, c'est que vous avez joui de votre première moitié et que vous vivez dans le présent, sans anticiper le manque.

La quantité dans le verre est la même, mais dans un cas elle évoque le plaisir, la satisfaction, alors que dans l'autre, elle n'apporte que des regrets, des inquiétudes.

Vous connaissez sans doute de ces gens qui amassent des biens ou de l'argent et qui n'en ont jamais assez. Ils ne peuvent jamais être satisfaits, car ils craignent constamment de manquer de quelque chose. Leur existence se passe à entasser des choses dont ils ne se servent jamais, de peur simplement d'en manquer. Dans leur tête, ils ne sont jamais riches, quelle que soit la somme des biens accumulés.

Il en va d'ailleurs de même pour les gens assoiffés de gloire et d'honneurs; ils se sentent tellement indignes de les récolter, ils manquent tellement de confiance en eux qu'ils ne peuvent en accumuler assez. Ne croyant pas en leur propre valeur, ils doivent constamment compter sur l'approbation des autres afin de justifier leur existence. Malheureusement, comme pour ceux qui accumulent des biens, ils ne peuvent croire en eux-mêmes; ils sont tellement convaincus de leur peu de valeur intrinsèque qu'il ne peut exister assez d'honneurs et de reconnaissances pour changer l'opinion qu'ils se font d'eux-mêmes.

Dans un cas comme dans l'autre, le bonheur ne peut exister, car le pivot central de ces existences est le manque, que celui-ci soit d'ordre matériel, émotif ou spirituel.

Les personnes qui maintiennent que le verre est à moitié vide vous assureront que leur optique est tout simplement réaliste. La vie leur a enseigné cette rude leçon et elles vous répéteront que la vie n'est pas un conte de fées, que le malheur finit tôt ou tard par frapper tout le monde et qu'il faut se préparer à subir des revers. Ce qu'elles oublient, c'est que le beau temps survient à la suite d'une tempête et qu'il faut savoir en profiter.

Vous avez donc le choix: vous pouvez attendre les tempêtes et le mauvais temps, ou vous pouvez profiter du beau temps lorsqu'il passe. La pensée positive nous fait apprécier tous les événements qui se produisent dans notre vie, car nous pouvons en tirer une leçon qui nous servira plus tard.

La critique constante, l'envie et la jalousie sont des forces destructrices qui peuvent finalement vous tuer — sinon physiquement, du moins émotivement et spirituellement. Et c'est alors l'enfer sur la terre.

Pourtant, la vie ne vaut-elle pas la peine d'être vécue pleinement? Regardez donc votre verre et demandez-vous s'il est à moitié plein ou à moitié vide. Demandez-vous aussi ce que vous désirez obtenir dans la vie.

La réponse? Elle n'en tient qu'à vous!

Table des matières

Imprimé sur du papier Quebecor Enviro 100 % postconsommation,
traité sans chlore, accrédité Éco-Logo et fait à partir de biogaz.

certifié   procédé   100 % post-   archives   énergie
             sans   consommation   permanentes   biogaz
             chlore